BACH

SONATE E PARTITE PER VIOLINO SOLO

edizione critica di Fulvio Luciani

SONATAS AND PARTITAS
FOR SOLO VIOLIN
Critical edition by Fulvio Luciani

RICORDI

E.R. 3095

English translation by Beniamino Borciani

ER 3095
ISMN 979-0-041-83095-7

SOMMARIO | *CONTENTS*

PREFAZIONE

La strada percorsa dai *Sei Solo â Violino senza Basso accompagnato* di Johann Sebastian Bach – a partire dalla pagina scritta fino all'esecuzione vera e propria – è stata lunga e tortuosa.

Non sappiamo in che epoca Bach scrisse i *Sei Solo*, se lo fece in seguito all'incontro con un grande violinista o se fu un'altra occasione a sollecitarlo. Sappiamo solo che nel 1720, durante il periodo trascorso alla corte calvinista di Cöthen, dispose queste sei grandi composizioni in un manoscritto particolarmente curato, forse in vista di una pubblicazione che non ci fu. Si tratta di musica polifonica per violino solo, un filone periferico della pratica violinistica, di cui si incontra qualche esempio tra Sei e Settecento in Biagio Marini, Francesco Geminiani e altri, e soprattutto in Germania, in una certa corrente di cui furono esponenti Heinrich Ignaz von Biber, Johann Paul von Westhoff e Jakob Walther, e Johann Georg Pisendel,[1] considerato il violinista più eminente della sua epoca.

Una seconda copia venne redatta in ambiente familiare dalla moglie Anna Magdalena anni dopo, e diverse altre copie manoscritte[2] testimoniano di un certo interesse nel corso del XVIII secolo, ma mancano del tutto notizie di esecuzioni. Ciò nonostante i *Sei Solo* vennero pubblicati a stampa nel 1802, addirittura in due diverse edizioni nello stesso anno, una presso Simrock a Bonn e l'altra presso Decombe a Parigi. Nel 1799 Jean-Baptiste Cartier aveva pubblicato la *Fuga* dalla *Sonata* in Do maggiore BWV 1005 presso Decombe, come ultimo e più avanzato esercizio del suo *Art du violon*. Una seconda edizione per Simrock seguì già nel 1809, intitolata *Studio*.

La prima esecuzione documentata della sola *Ciaccona* dalla *Partita* in Re minore BWV 1004 si tenne l'8 febbraio 1840 al Gewandhaus di Lipsia, protagonista il violinista Ferdinand David. Erano trascorsi ben centoventi anni da che il manoscritto era stato messo in bella copia. Non fu un'esecuzione *a solo*: David venne accompagnato al pianoforte da Felix Mendelssohn, che forse improvvisò la sua parte alla maniera dei continuisti quando realizzano il basso numerato.[3] In quell'occasione David suonò come bis anche il *Preludio* dalla *Partita* in Mi maggiore BWV 1006, sempre accompagnato da Mendelssohn.

Una seconda esecuzione avvenne un anno più tardi, ancora al Gewandhaus di Lipsia, ancora protagonisti David e Mendelssohn, presenti tra il pubblico Clara e Robert Schumann. Clara ne dà una cronaca nel diario matrimoniale, con un tratto di deliziosa ingenuità nell'accenno che fa alla *Ciaccona*:

> Giovedì 21 sono cominciati i concerti "storici" dedicati a Bach e Händel. Non c'è nulla da dire salvo che c'erano troppe cose belle. [...] La Ciaccona (che significa propriamente Ciaccona?) mi è piaciuta moltissimo e l'esecuzione di David era magnifica.[4]

Secondo Clara, a Robert erano piaciuti soprattutto i tre pezzi dalla *Messa* in Si minore di Bach in programma quella sera, ma in realtà l'esecuzione della *Ciaccona* lo aveva interessato così tanto da fargli decidere di intraprendere la scrittura di una parte di pianoforte per l'intera raccolta, che verrà pubblicata presso Breitkopf & Härtel a Lipsia nel 1854. L'intento era pratico: fornire ai violinisti quell'accompagnamento che evidentemente era loro necessario per cominciare a concepire la sola idea di poter suonare quelle musiche. L'intervento è misurato: si limita a dare al pianoforte quel che serve a sciogliere i sottintesi armonici e contrappuntistici, e ad accompagnare ogni pagina secondo il carattere che ha, come se Schumann stesse annotando i suoi commenti al margine della pagina, e stesse guidando l'esecuzione dal pianoforte.

All'indomani delle esecuzioni Ferdinand David pubblica la sua revisione presso Kistner a Lipsia nel 1843 e la intitola *Studio*, come l'edizione Simrock del 1809. È la prima edizione pensata per l'uso pratico, con segni di arcata, di diteggiatura e di interpretazione «per l'utilizzo presso il Conservatorio di musica di Lipsia», come recita il frontespizio.

---

1. La ricerca di un ispiratore o un destinatario del ciclo violinistico bachiano ha vagliato molti nomi senza poterne identificare uno con certezza, e uno di questi è proprio quello di Johann Georg Pisendel. Gli indizi vengono dall'incontro tra i due, avvenuto a Weimar in epoca antecedente la presenza di Bach a Cöthen, e dal fatto che Pisendel possedesse un manoscritto che conteneva i *Sei Solo* insieme ad altre opere per violino solo di Angelo Ragazzi, Nicola Matteis il Giovane e Francesco Geminiani. Il manoscritto era conservato nella Landesbibliothek di Dresda ed è andato perduto durante il secondo conflitto mondiale.

2. Sei per l'esattezza, oltre a quella di Anna Magdalena; in una i *Sei Solo* sono trascritti per violoncello.

3. Nel 1847 Mendelssohn pubblicò un'elaborazione per violino e pianoforte della *Ciaccona* presso Ewer & Co. a Londra e Crantz ad Amburgo, che probabilmente ricalca quel che aveva suonato quella sera e nel concerto dell'anno seguente. Prima di lui anche Franz Wilhelm Ressel aveva pubblicato una sua elaborazione, presso Schlesinger a Berlino nel 1845.

4. Robert Schumann – Clara Wieck, *Casa Schumann, Diari 1841-1844*, Torino, EDT, 1998, p. 43, traduzione di Anna Rastelli.

L'edizione ha una veste editoriale insolita, col rigo della revisione posto sopra a quello di una riproduzione diplomatica della fonte senza interventi né correzioni, in modo che sia agevole confrontarle. È una soluzione che verrà adottata in seguito anche da altri revisori, Joachim e Flesch tra gli altri, e serve a indicare come intendere concretamente l'esecuzione, quali suoni tenere sovrapposti, quanto a lungo, grazie a quale gioco d'arco e così via, a testimonianza del fatto che nel caso dei *Sei Solo* un normale lavoro di redazione non è sufficiente e molte questioni devono necessariamente essere rimandate all'iniziativa degli esecutori.[5]

Così, con l'edizione di David, quelle che ora vengono chiamate *Sechs Sonaten für die Violine* escono dalla condizione cui erano rimaste relegate di testo teorico di tecnica violinistica, destinato forse più alla riflessione dei compositori che non alla pratica degli esecutori, e cominciano a essere usate almeno dagli studenti di violino come testo di formazione. È da qui, dalla Lipsia di Mendelssohn, Schumann e David, che si irradierà la riscoperta dei *Sei Solo â Violino senza Basso accompagnato*, a partire da un ambiente circoscritto che ne può vantare il merito, per proseguire lungo una traccia ininterrotta di relazioni personali e di esperienze condivise.

Nel 1853 Schumann sta per pubblicare la sua versione per violino e pianoforte delle *Sechs Sonaten für die Violine*. È l'anno dell'incontro con Brahms, a Düsseldorf. Intanto la *Ciaccona* continua a circolare in trascrizioni per pianoforte. Anche Brahms ne fa una, forse nel 1877, che pubblica come numero 5 dei suoi *Studien für das Pianoforte*.[6] Brahms non interviene quasi, eccezion fatta per due autentici colpi di genio: abbassa tutto di un'ottava, per togliere brillantezza pianistica all'esecuzione e conferirle un colore scuro e denso, e soprattutto prescrive l'uso della sola mano sinistra, una limitazione che spoglia il pianista dei suoi mezzi e lo mette in una condizione di fragilità paragonabile a quella in cui si trova il violinista di fronte all'originale bachiano. La sua è una lettura d'arte vera e propria, non un prestito a scopo didattico, come potrebbe sembrare dal titolo della raccolta in cui è inserita, un'operazione di una sottigliezza psicologica stupefacente, addirittura visionaria se si considera che è compiuta in un'epoca che precede quella della pratica diffusa dell'esecuzione al violino. Forse, per i violinisti il nodo da sciogliere era ancora quello dell'esecuzione *a solo* più che quello della scrittura polifonica.[7] In un certo senso Schumann e Brahms percorrono strade contrarie. Schumann sceglie di fornire al violino un terreno di appoggio, e con questo consente la realizzazione di un progetto avvertito probabilmente come irrealizzabile. Brahms, invece, prende atto delle fragilità del progetto come fossero la sua forza, e lo trasferisce allo strumento diventato l'emblema della solitudine. L'uno e l'altro sono approcci inautentici secondo il metro di oggi, rimane che al violino servivano un sostegno e un esempio da seguire prima di addentrarsi in un territorio psicologicamente al di fuori del proprio controllo. Nell'averlo offerto, entrambi appaiono come contributi sulla via di una autenticità di sostanza, se non di modi.

La traccia che stiamo seguendo prosegue da Brahms all'amico Joseph Joachim. È solo con Joachim che si comincia a suonare Bach *a solo*. Una fotografia della situazione antecedente ce la dà Jenő Hubay, allievo di Joachim al Conservatorio di Berlino, e a sua volta interprete prediletto da Brahms, nel ruolo di primo violino del Quartetto di Budapest di cui è stato il fondatore. Nella prefazione alla revisione di quelle che per lui sono le *Violinsonaten* di Bach, Hubay esordisce riconoscendo a Joachim il merito di averle introdotte nel circuito dei concerti e di aver saputo ottenere per esse l'amore del grande pubblico.

> Alcuni singoli movimenti erano già stati eseguiti in pubblico, ma siccome i violinisti non sapevano in alcun modo far proprio lo spirito di queste opere, e tantomeno riuscivano a comprenderne la peculiare tecnica e a renderle giustizia, i tentativi di esecuzione suscitavano sempre una certa ilarità, sortendo un effetto opposto a quello desiderato.[8]

Joachim fu capace di suscitare un vero e proprio culto di Bach. Altri violinisti cominciarono a seguire il suo esempio, Leopold Auer, Eduard Reményi, August Wilhelmj tra gli altri, e Joseph Hellmesberger, che pubblicò una sua revisione già nel 1865 presso Peters a Lipsia, intitolata *Sonates ou suites*.

Le *Sonate e Partite* divennero uno dei fondamenti dell'istruzione che Joachim impartiva, e da allora lo sono state per tutte le scuole del mondo. Secondo Hubay, Joachim usava l'«eccellente edizione di David, basata sul manoscritto di Bach»,[9] con diteggiature e arcate personali

---

5. Anche Enrico Mainardi ha adottato una soluzione simile nella revisione delle *6 Suites a Violoncello Solo senza Basso* che ha pubblicato per Schott a Mainz nel 1941, per dare evidenza grafica alla polifonia sottintesa anche nei brani in cui non ci siano sovrapposizioni di suoni. Così dice nell'Introduzione: «La scrittura analitica posta sotto al testo è stata fatta con lo scopo di dare la facoltà di vedere le varie parti che compongono miracolosamente questa musica, pur essendo espresse quasi sempre da una sola voce».

6. Gli *Studien für das Pianoforte* Anh. 1a/1 furono pubblicati presso Bartholf Senff a Lipsia – l'editore della *Sonata* n. 3 op. 5 – in fascicoli separati, nel 1869 e nel 1878. Sono tutte trascrizioni, da uno *Studio* di Chopin, da un *Rondo* di Weber, e da Bach. Gli *Studi* n. 3 e n. 4 sono due diverse trascrizioni del *Presto* dalla *Sonata* in Sol minore BWV 1001.

7. Quando si parla di violino solo, di solito si tralascia di citare Giuseppe Tartini e le sue relativamente poco conosciute *Sonate* conservate presso la Biblioteca Antoniana della Basilica del Santo a Padova. Il manoscritto che le raccoglie è una sorta di diario personale in cui sono annotate composizioni destinate all'esecuzione privata: sonate *a solo* nel duplice senso di essere destinate allo strumento senza accompagnamento, e al solo esecutore in assenza di pubblico. Il risultato di Tartini è meno vistoso di quello ottenuto da Bach, ma non meno audace nel progetto poetico.

8. Johann Sebastian Bach, *Violinsonaten*, revidiert von Jenö von Hubay, Wien, Universal Edition, 1900, p. III, traduzione dall'ungherese di Silvia Canavero.

9. *Ibid.*

e segni di interpretazione. Anche di Joachim abbiamo una revisione delle *Sonaten und Partiten*,[10] completata da Andreas Moser dopo la sua morte e pubblicata presso Bote & Bock a Berlino nel 1908. È l'edizione che stabilisce la dicitura editoriale di *Sonate e Partite*, oggi universalmente condivisa.

Per Joachim fu il progetto di una intera vita. La frequentazione col «vecchio Bach» faceva data almeno dal 1844, quando solo tredicenne eseguì a Londra un *Adagio* e *Fuga*, forse quelli in Sol minore. Lo racconta lui stesso in una lettera indirizzata al suo maestro Joseph Böhm.[11] Possiamo ascoltare noi stessi come Joachim suonasse l'*Adagio* in Sol minore, in una delle due registrazioni bachiane realizzate nel 1903 all'età di settantadue anni – l'altra è il *Tempo di Borea* dalla *Partita* in Si minore BWV 1002 –, tra le più antiche registrazioni della storia del disco, e tra le più emozionanti.

La pratica di eseguire singoli movimenti delle *Sonate e Partite* di Bach con l'accompagnamento del pianoforte continuò anche in seguito, come testimoniano le esecuzioni e le pubblicazioni a stampa di August Wilhelmj, Camille Saint-Saëns, Willy Burmester, Leopold Auer e Fritz Kreisler, gradatamente affiancata dall'abitudine di eseguire *a solo* singoli movimenti, come fossero miniature, pezzi di genere nella via del violinismo brillante.[12]

L'esecuzione integrale nella destinazione strumentale autentica è dunque un uso relativamente recente. È cominciata tra le due guerre, con l'incisione di Yehudi Menuhin, e si è affermata soprattutto nel secondo dopoguerra, con le esecuzioni in disco e in sala da concerto di Nathan Milstein, Arthur Grumiaux e innumerevoli altri, e soprattutto di Henryk Szeryng, autore anche di una revisione pubblicata da Schott a Mainz nel 1981 che va conosciuta, e di Sigiswald Kuijken su strumento originale.

10. Può essere interessante ricordare che per la sua edizione Joachim poté disporre dell'autografo, ora conservato a Berlino, di cui durante l'Ottocento non si conosceva nemmeno l'esistenza. Il manoscritto reca l'indicazione *Louisa Bach | Bückeburg | 1842*, dunque è appartenuto alla terzogenita di Johann Christoph Friedrich, figlio di secondo letto di Johann Sebastian e come tale escluso dall'eredità paterna, che era riservata ai figli di primo letto viventi. Non c'è traccia di come il manoscritto sia giunto nelle mani di Johann Christoph Friedrich, forse direttamente dal padre o dalla madre, fatto sta che fu conservato gelosamente in famiglia fino alla morte di Louisa, nel 1852. Poi fu ceduto e se ne perdono le tracce fino al 1890, quando l'antiquario Rosenthal di Monaco lo offrì all'archivista della Società degli Amici della Musica di Vienna Eusebius Mandyczewski, che girò l'offerta a Brahms, contando sul fatto che gli era noto che alla morte di Brahms la sua biblioteca sarebbe giunta in possesso della Società. Il manoscritto costava molto, era di una bellezza fuori dall'ordinario, non era citato né dallo Spitta né dalla Bach-Ausgabe, e Brahms non si fidò a comprarlo. Ne venne in possesso Wilhelm Rust, uno dei direttori della Bach-Ausgabe, e nel 1917 passò alla Staatsbibliothek preußischer Kulturbesitz di Berlino, insieme all'intera biblioteca di Rust.

11. Joseph Joachim, *Letters from and to Joseph Joachim*, London, MacMillan, 1914, p. 2, traduzione di Nora Binckley: «I play Paganini a good deal also, as well as old Bach, whose Adagio and Fugue for the violin alone I played in public in London».

12. Le più antiche registrazioni bachiane della storia del disco contribuiscono quanto le revisioni a stampa cui abbiamo accennato, a documentare con chiarezza quella linea ininterrotta di relazioni personali ed esperienze consegnate di mano in mano di cui abbiamo seguito la traccia fino a qui. Ognuno dei nomi citati è riconducibile, attraverso relazioni didattiche o collaborazioni artistiche, a David, Joachim o Brahms.

Dopo Joachim, le registrazioni che seguirono furono: di Hugo Heermann, *a solo*, il *Preludio* dalla *Partita* in Mi maggiore BWV 1006, nel 1909; di Willy Burmester, con pianoforte, la *Gavotte en Rondeaux* dalla *Partita* in Mi maggiore, nello stesso anno; di Marie Ernestine Soldat-Röger, *a solo*, il *Largo* dalla *Sonata* in Do maggiore BWV 1005 e il *Preludio* dalla *Partita* in Mi maggiore – quest'ultima un'esecuzione magnifica per proprietà violinistica e libertà di fraseggio –, in anni imprecisati ma contigui; infine di Maud Powell, *a solo*, il *Tempo di Borea* dalla *Partita* in Si minore BWV 1002, nel 1913. Fritz Kreisler registrò in anni un poco più tardi singoli movimenti *a solo* o con accompagnamenti pianistici di cui era l'autore.

Hugo Heermann fu violinista di formazione franco-belga, amico e collaboratore di Brahms, e primo interprete del suo *Concerto* a Parigi e a New York. Willy Burmester, Maud Powell, violinista americana, e Marie Soldat-Röger furono allievi di Joachim a Berlino. Quest'ultima fu la prima donna a eseguire il *Concerto* di Brahms, a Vienna nel 1885.

Per Kreisler il legame è più sfumato e non del tutto diretto, ma una relazione c'è, essendo stato allievo di Joseph Hellmesberger, nipote di quel Georg Hellmesberger che fu allievo e poi assistente di Joseph Böhm, maestro di Joseph Joachim e Jakob Dont, a sua volta maestro di Leopold Auer e di Eduard Reményi.

Quanto alle edizioni a stampa, di Jenő Hubay si è detto, August Wilhelmj studiò a Lipsia con Ferdinand David.

Fanno eccezione solo Camille Saint-Saëns e Pablo de Sarasate, quest'ultimo autore della seconda più antica registrazione bachiana, il *Preludio* dalla *Partita* in Mi maggiore BWV 1006, registrato *a solo* nel 1904.

TESTO, CRITERI EDITORIALI

La fonte di questa edizione è l'autografo, datato 1720, conservato alla Staatsbibliothek preußischer Kulturbesitz di Berlino.

Fonti secondarie consultate sono la copia di Anna Magdalena, redatta in ambiente familiare vivente Johann Sebastian, e il manoscritto **P 267**, di mano di due copisti anonimi.

Le altre cinque copie manoscritte settecentesche, la cui distanza dalla fonte autografa costituisce un problema che andrebbe affrontato caso per caso, sono state consultate solo occasionalmente, senza darne conto nelle note.

Solo nel caso della *Sonata* in La minore BWV 1003, dell'*Adagio* della *Sonata* in Do maggiore BWV 1005 e della *Partita* in Mi maggiore BWV 1006, sono state tenute presenti altre fonti secondarie, indicate nelle note introduttive alle singole composizioni e nell'elenco delle fonti.

La maniera di annotare le alterazioni è stata ricondotta alla norma della nostra epoca. Alcune questioni al riguardo sono discusse nelle note.[1]

In qualche caso si è scelto di lasciare i gruppi ritmici nella forma sinuosa e scorrevole che hanno nella fonte, senza uniformarli alla consuetudine editoriale corrente, che vuole immediatamente chiara la divisione del ritmo anche a prezzo di qualche durezza grafica. Nelle note compare un'interpretazione corretta della divisione.

Le rare indicazioni di dinamica sono state conservate nella forma e nella posizione in cui si trovano, e non ne sono state aggiunte.

Non ci sono diteggiature, tranne due numeri a 34 della *Gavotte en Rondeaux* della *Partita* in Mi maggiore. Tutte le altre sono del curatore.

Le legature tra parentesi quadre sono integrazioni necessarie secondo logica o per comparazione. In alcuni casi una possibile seconda lettura della fonte, che si discosta da quella correntemente accettata, è segnata con legature tratteggiate. In questo caso compaiono due legature, una sopra e una sotto al rigo, e una nota chiarisce la questione.

Quando la legatura tratteggiata è una sola, si tratta di un suggerimento del curatore.

I segni di arcata *in su* e *in giù* sono del curatore. Indicano le arcate, non contravvengono le legature di Bach,[2] e seguono l'articolazione della voce principale. Ciò significa che, per come sono state concepite le indicazioni, le voci secondarie non vanno ripetute nella nuova arcata, tranne nei pochi casi in cui è esplicitamente suggerito, per ragioni di equilibrio sonoro o di pienezza dell'armonia.

Solo nel caso dei soggetti di fuga è indicato nelle note uno schema base dell'articolazione, che può essere utile anche per il materiale che ne deriva.

In qualche raro caso compaiono indicazioni di arcata *in su* e *in giù* che non sarebbero necessarie: sono semplici segnali di attenzione, intesi a evidenziare il fraseggio.

Gli interventi del curatore sono sempre identificabili: non sono state aggiunte articolazioni, colpi d'arco o segni di interpretazione, solo alcuni respiri, là dove i margini delle frasi potrebbero essere equivocati, e alcuni trilli, segnati tra parentesi tonde per distinguerli da quelli indicati da Bach.

Le note segnalano e discutono i problemi di lettura del testo, e qualche volta contengono considerazioni e suggerimenti. Segnalano anche le divergenze più significative dalla fonte che si riscontrano nelle edizioni di Ferdinand David e Robert Schumann, e occasionalmente anche di altri, Michelangelo Abbado, Lucien Capet, Joseph Joachim, Jenő Hubay e Henryk Szeryng, a documentare il procedere della percezione di queste musiche nel corso del tempo.

1. La prima è subito all'inizio, vedi nota a 3 dell'*Adagio* della *Sonata* in Sol minore. Vedi anche nota a 37 dell'*Allegro* della *Sonata* in La minore, e note a 33 e a 101 dell'*Allegro assai* della *Sonata* in Do maggiore.

2. I violinisti confondono sistematicamente le due cose, che vengono indicate con lo stesso segno grafico. Il *legato* è qualcosa che attiene alla musica, mentre l'arcata attiene alla pratica dello strumento: si deve poter cambiare arcata senza che il *legato* venga meno.

NOTE PER L'ESECUZIONE

La strana vicenda che queste musiche hanno vissuto ha certamente avuto un peso sulla loro ricezione. Dimenticate per più di un secolo, sono venute alla luce per una coincidenza fortuita, solo perché un singolo movimento dell'intera raccolta – la *Ciaccona* in Re minore – era sembrato perfetto come pezzo da concerto per il gusto dell'epoca, pur provenendo da un mondo che aveva riferimenti e consuetudini affatto diversi: come a dire che le ragioni per interessarsene, per suonarlo e ascoltarlo, erano tutt'altre rispetto a quelle per cui era stato scritto.

Di lì in poi l'Ottocento ha coltivato le *Sonate e Partite* poco alla volta, ma di fatto è stata la didattica ad appropriarsene per prima, avendole avvertite forse come una palestra ideale per esercitare la vocazione alla riflessione e alla ricerca, anche interiore. In anni più vicini è stata la prassi strumentale storicamente informata a ricondurle all'epoca a cui appartengono, anche se qui l'impegno è forse più complicato che altrove, perché le *Sonate e Partite* rappresentano un *unicum* concettuale cui non corrisponde una trattatistica in grado di spiegare fino in fondo come le si debba eseguire.

Così, accanto alla prassi storicamente informata, è rimasta in vita anche una prassi esecutiva chiamiamola di tradizione ottocentesca. È forse più a quest'ultima che ancor oggi si riferisce la scuola – l'insegnamento del repertorio storico su strumento originale è ancora un fenomeno relativamente circoscritto – e per un curioso rovesciamento prospettico appare oggi come la prassi di tradizione.

La polifonia

Gli accordi sono la manifestazione più vistosa della polifonia sul violino, e un argomento sensibile nella diatriba tra gli esecutori storicamente informati e quelli di tradizione ottocentesca. Certamente costituivano il tratto più estraneo al vocabolario tecnico dello strumento nel momento in cui si è cominciato a suonare le *Sonate e Partite*. Se da una parte la novità ha generato riflessione, ricerca anche coraggiosa – come abbiamo visto, il solo fatto di suonare le *Sonate e Partite* ha richiesto coraggio –, dall'altra ha prodotto esiti fortemente segnati dall'epoca in cui sono stati ottenuti.

Non dirò nulla di nuovo se considero che chiamiamo *accordi* quelle che sono invece sovrapposizioni di suoni, coincidenze verticali del percorso delle voci. Si tratta, nel caso delle *Sonate e Partite*, di un vero e proprio problema di significato, non solo di tecnica dell'arco. Nell'epoca in cui l'esecuzione delle *Sonate e Partite* ha gradatamente trovato posto nella consuetudine dei concerti, un'epoca antecedente a quella dell'esecuzione storicamente informata, la risposta al problema è stata nella ricerca di modalità di esecuzione anticonvenzionali, che permettessero di far ascoltare le linee di canto nelle voci centrali o nel basso. Tra queste, la più anticonvenzionale di tutte è quella degli accordi rovesciati, con l'arco che muove dalle corde acute verso le corde gravi, seguita a ruota dagli accordi che ritornano su una voce interna. Henryk Szeryng ha descritto minuziosamente queste modalità nella sua importante revisione pubblicata nel 1981 presso Schott, dove spiega come e perché farne uso. Non si tratta di modalità riconducibili a esempi storici attestati, ma in mano sua, nelle sue splendide esecuzioni, hanno rappresentato un modello di bellezza che è entrato nella storia. Lo scopo che Szeryng si prefiggeva era sempre e comunque quello dell'intelligibilità dell'esecuzione. La sua era l'epoca di una ricerca che ancora non ambiva a una legittimazione storica, ma che non mancava certo di una sua tensione etica.

Certamente gli accordi rovesciati – i più bocciati dagli esecutori storicamente informati – costituiscono un gesto tecnico violinistico meno naturale del gesto consueto, ma non impossibile, e non necessariamente sgradevole da ascoltare, se ben eseguiti. Lo stesso dicasi per gli accordi che ritornano su una voce centrale, che in qualche caso sembrano suggeriti dalla scrittura.[1] Non ho preclusioni verso nessuno dei due, quando perdere una linea o un soggetto di fuga costituisca un danno, e ho indicato con frecce dove mi sembra opportuno farne uso. Ma sono pochi casi. In molti altri il solo appoggiare la nota bassa e non la nota acuta sull'andamento del ritmo, come è portato a fare l'esecutore di tradizione ottocentesca, è sufficiente a dare evidenza musicale alle cose, e anche l'arpeggiare gli accordi, scegliendo con fantasia quando e quanto farlo, e quanto a lungo lasciare che le voci si sovrappongano, serve a rendere trasparente la trama sonora e più chiaro il percorso delle singole voci.

Considero però che il problema della polifonia bachiana sul violino andrebbe forse affrontato da un punto di vista meno concreto. Il violino è uno strumento che

1. Vedi ad esempio il soggetto alla voce inferiore a battuta 20 della *Fuga* in Sol minore, o l'accordo a metà battuta 4 nella *Siciliana*, o ancora da 9 a 16 della *Ciaccona*, dove la durata della voce principale è scrupolosamente indicata lungo tutta la variazione.

canta, la polifonia gli è innaturale. I predecessori di Bach ne avevano fatto una questione di abilità combinatoria, da affrontare con ogni mezzo, compreso quello estremo della *scordatura*. Dal canto suo, anche Bach, pur servendosi di un impianto tecnico-violinistico enormemente sviluppato, ha messo sulla carta quello che rimane comunque un risultato ideale, non del tutto realizzabile. Forse, il suo intento era di fare in modo che una parte della polifonia si formasse nella mente dell'ascoltatore, suggerita da risonanze e latenze abilmente provocate dalla scrittura, più che essere concretamente realizzata nell'esecuzione.[2] Così, pur ammirando la bellezza e la chiarezza delle soluzioni adottate da Szeryng, qualche volta ho pensato che la volontà di Bach non fosse quella di far cogliere *tutte* le linee. Non sempre, almeno, perché per quanto ci si possa ingegnare, qualche volta davvero non è possibile. Forse quel che conta è che una linea di canto *ci sia*, e che io che sto suonando ne sia consapevole. Come un pensiero nascosto, che in qualche modo, per qualche strada, raggiungerà comunque il mio ascoltatore. Allora mi sembra che l'idea di Bach della polifonia, più che una sfida sui terreni della scrittura e della tecnica strumentale, sia un'idea poetica.

Mano sinistra, diteggiature

Nell'autografo non sono indicate diteggiature, tranne due numeri a battuta 34 della *Gavotte en Rondeaux* della *Partita* in Mi maggiore BWV 1006, che Anna Magdalena ricopia diligentemente e che in questa edizione sono segnati in corsivo. Tutte le altre diteggiature sono del curatore.

Quello delle diteggiature è certamente l'aspetto più sviluppato di questa revisione. Sono segnate sistematicamente, in qualche caso con alternative tra parentesi perché sia chiaro da dove a dove l'alternativa ha effetto. Le alternative tra parentesi non seguono una vera regola: in qualche caso sono diteggiature un po' ricercate ma non strettamente indispensabili, in qualche altro sono, al contrario, diteggiature più tradizionali, talvolta sono alternative pensate per mani più piccole, oppure seguono un percorso timbrico che su qualche violino potrà non funzionare, o che l'interprete non sceglierà per sua inclinazione.

Trovo che le diteggiature, così come le arcate, siano un atto creativo, non una semplice questione meccanica. Una buona diteggiatura consente di realizzare la propria idea, e il vederla realizzata ne stimola di nuove, in un perpetuo circolo virtuoso tra tecnica e immaginazione. La riflessione sulla diteggiatura non è prerogativa dell'atto esecutivo: la relazione che intercorre tra l'idea e il gesto tecnico che serve a produrla inizia nel momento in cui la musica viene immaginata: il compositore calcola le diteggiature.

Io sono convinto che Bach lo facesse tenendo a mente procedimenti di tipo pianistico più che strettamente violinistico. Per procedimenti di tipo pianistico intendo quella maniera di aprire e chiudere la mano secondo necessità, che sul pianoforte è ovvia.[3] Le diteggiature che propongo sono pensate su questa base. Prevedono che i movimenti sul manico siano compiuti grazie a estensioni e contrazioni non sottoposte al vincolo delle posizioni fisse, e quasi sempre senza scivolamenti (portamenti, trasposizioni) delle dita sulle corde. Ho verificato in mille occasioni quanto questa maniera di intendere la tecnica della mano sinistra faciliti l'esecuzione e offra occasioni di espressività, sebbene ad alcuni possa in un primo tempo complicare la lettura. Spesso ho visto allievi anche relativamente inesperti leggere con naturalezza diteggiature che avrebbero richiesto lunghe spiegazioni se prese per il verso della tecnica di tradizione, senza che fosse stata spesa neanche una parola per avvertirli e indirizzarli. Semplicemente mettevano il dito per suonare la nota, e muovevano la mano se serviva, fin dalla prima volta.

Quanto alla tecnica vera e propria, consiglio due accortezze che, secondo la mia esperienza, sono utilissime a mantenere ben impostata la mano sinistra: prendere le quinte – soprattutto col primo dito – e lasciar posate senza pressione le dita sulla corda fino a quando non sia necessario alzarle, per usarle altrove o per lasciar suonare la corda vuota. Le quinte col primo dito consiglio di prenderle per sistema, quasi senza chiedersi se effettivamente si dovranno usare, e considero che un dito che ne abbia presa una continui a tenerla anche dopo un cambiamento di posizione, e vada posato nuovamente così com'era dopo che sia stato necessario alzarlo.

2. Prima che si diffondesse sensibilità per la prassi strumentale storicamente informata, si è comunque molto ragionato su come suonare Bach. Ci si è chiesti se dovesse prevalere l'aspetto della polifonia o quello della connotazione ritmica, e quando si è inclinato per il primo si è giunti a estremi come quello dell'arco ricurvo Vega usato da Emil Telmányi – che fu allievo di Jenő Hubay, e dunque è anch'egli riconducibile a quella linea di esperienze di cui abbiamo seguito il filo tra Otto e Novecento –, cui si è anche cercato, senza successo, di fabbricare un'attendibilità storica. Altre proposte sono state piene di intelligenza, come quella di Michelangelo Abbado nella sua revisione per Curci, Milano, del 1972. Potrà far sorridere che tutto questo accadesse negli anni in cui l'unico elemento condiviso del vocabolario dell'esecuzione bachiana era forse il cosiddetto colpo d'arco "alla Bach", che Szeryng esemplifica molto bene con l'articolazione dell'oboe: si cercavano soluzioni, animati dall'amore per queste musiche, e anche da un sentimento di sacralità nell'avvicinarsi a esse. Per farlo sembrava necessario concepire soluzioni speciali, anche non spendibili altrove, senza chiedersi se fossero suffragate dalla ricerca storica, in un processo simile alla definizione di un linguaggio tecnico di avanguardia.

3. Il pianista apre e chiude la mano così come serve, senza farsi domande, mentre il violinista deve fronteggiare l'*horror vacui* provocato dalla corda senza riferimenti nemmeno visivi, e per farlo ha imparato a servirsi del sistema delle posizioni fisse. È un sistema necessario, ma qualche volta viene applicato senza provare a sondarne i limiti, così che spesso costituisce un vero e proprio pregiudizio. Spesso, quando si riesce a ricostruire la tecnica dei grandi violinisti del passato, si scoprono atteggiamenti che ancor oggi considereremmo avanzati, in qualche caso addirittura avveniristici.

Mi sono limitato a dare le indicazioni indispensabili, qualche volta allo scopo di esemplificare un meccanismo che potrà essere applicato anche altrove.

Quando possibile, le diteggiature sono state scelte in modo da lasciar ferme le dita sulle corde, perché così facendo le voci secondarie possono continuare a risuonare. Entro certi limiti anche questo aspetto può essere calcolato, e può entrare a far parte delle scelte esecutive dell'interprete.

Non ho rinunciato a indagare il parametro del timbro, forse più proprio della sensibilità moderna e contemporanea, sull'esempio di quello che ha fatto Enrico Mainardi sul violoncello. Le diteggiature di Mainardi tendono a mantenere ogni voce su una singola corda, per darle coerenza timbrica e renderla riconoscibile, come se le quattro corde corrispondessero idealmente a quattro distinte voci di cantori.[4]

Lo strumento

Infine, riguardo lo strumento da usare e come montarlo, è davvero tutta la vita che mi chiedo ragione del fascino che la voce del violino ha su di me. Non ho mai avuto paura di suonare il violino *a solo*, forse perché amo quella dimensione tutta pianistica del colloquio con sé, della riflessione privata, e mi piace pensare di poterla riprodurre con lo strumento che suono. Ma la amo forse perché quella dimensione è per qualche verso innaturale per il violino, e mi piace esplorarla.

La voce del violino possiede una bellezza che chiama l'attenzione. È la voce di un individualista, ma ha la facoltà misteriosa di conservare tutto il suo fascino e la sua naturalezza anche quando è moltiplicata in una moltitudine, com'è una fila di violini d'orchestra. Succede anche alla voce umana, che è bella da sola e lo è altrettanto quando canta in un coro.

Ma quale violino? Ne ho suonati molti, in vita mia. Con ognuno è stato come ripartire da capo. Non solo nella tecnica, anche nella mia idea di quel che magari suonavo da tempo, perché il nuovo violino apriva altre porte, mostrava nuove soluzioni, stabiliva nuove regole. Ci ho messo del tempo a capirlo, credevo di essere io a comandare su di lui. Di più: credevo di doverlo fare, con la tecnica. In seguito mi sono reso conto che non è così, e ho capito che con l'arco è lo stesso. Ricordo che i vecchi maestri dicevano che l'arco non va comandato, va seguito, assecondato.

Così, se lo scopo è l'esecuzione, il violino e tutto quello che serve ad armarlo e usarlo mi paiono approssimazioni: il territorio della ricerca certamente passa di lì, ma prosegue.

4. A questo proposito osserva le prime tre entrate del soggetto della *Fuga* in Sol minore, disposte da Bach senza possibili equivoci su seconda, terza e prima corda.

FONTI

Manoscritti

B: autografo
Collocazione: Berlino, Staatsbibliothek preußischer Kulturbesitz (Mus. ms. Bach autograph P 967)
Titolo: *Johann Sebastian Bach, Sei Solo. | â | Violino | senza | Basso | accompagnato. | Libro Primo. | da | Joh: Seb: Bach. | ao. 1720.*
Data di redazione: 1720

AM: copia di Anna Magdalena
Collocazione: Berlino, Staatsbibliothek preußischer Kulturbesitz (Mus. ms. Bach P 268)
Titolo: *Pars 1. | Violino Solo | senza | Basso | composèe | par | Sr. Jean Seb: Bach. | Pars 2. | Violoncello Solo. | senza Basso. | composèe | par | Sr. J.S. Bach. | Maitre de la Chapelle | et | Directeur de la Musique | a | Leipsic. | ecrite par Madame | Bachen. son Epouse.*
Data di redazione: ca 1725-1733/1734

P 267: di mano di due diversi copisti sconosciuti, contiene tutte e sei le *Sonate e Partite*
Collocazione: Berlino, Staatsbibliothek preußischer Kulturbesitz (Mus.ms. Bach **P 267**)
Titolo: *VI Violin-Solos | von | Joh. Sebast: Bach.*
Data di redazione: ca 1725; BWV 1006 di altra mano, probabilmente seconda metà del XVIII secolo

P 218: di mano di Johann Christoph Altnickol (1719-1759), contiene la *Sonata* in Re minore per cembalo solo BWV 964, elaborazione della *Sonata* per violino solo in La minore BWV 1003, e l'*Adagio* in Sol maggiore per cembalo BWV 968, trascrizione per cembalo in Sol maggiore dell'*Adagio* dalla *Sonata* in Do maggiore BWV 1005
Collocazione: Berlino, Staatsbibliothek preußischer Kulturbesitz (Mus. ms. Bach **P 218**, Faszikel 2)
Titolo: *SONATA | per il | CEMBALO SOLO | del Sigr J.S. Bach*
Data di redazione: ca 1750

BWV 1006a: adattamento autografo per liuto dalla *Partita* in Mi maggiore BWV 1006
Collocazione: Tokyo, Accademia Musicale Musashino (Littera rara vol. 2-14)
Data di redazione: ca 1740/42

per la Cantata *Wir danken dir, Gott, wir danken dir* BWV 29
Collocazione: Berlino, Staatsbibliothek preußischer Kulturbesitz (Mus. ms. Bach P 166)
Titolo: *Beÿ der Raths-Wahl | 1731. | Wir dancken dir, Gott, wir danck[en] dir. | à | 4 Voci. | 3 Trombe | Tamburi | 2 Hautbois | 2 Violini | Viola | e | Continuo | con | Organo obligato | di | Joh. Seb: Bach.*
Data di redazione: 1731

Stampe

D: revisione di Ferdinand David
Sechs Sonaten für die Violine allein von Joh. Sebastian Bach. Studio ossia Tre Sonate per il Violino solo senza Basso Zum Gebrauch bei dem Conservatorium der Musik zu Leipzig mit Fingersatz, Bogenstrichen und sonstigen Bezeichnungen versehen von Ferd. David, Leipzig, Fr. Kistner, 1843

S: versione per violino e pianoforte di Robert Schumann
Sechs Sonaten für die Violine von J.S. Bach mit hinzugefügter Begleitung des Pianoforte von Robert Schumann, Leipzig, Breitkopf & Härtel, 1854

BG: *Sechs Sonaten für Violine*, in *Bach-Gesellschaft Ausgabe*, XXVII (a cura di Alfred Dörffel), pp. 3-56, Leipzig, Breitkopf & Härtel, 1879

J: revisione di Joseph Joachim
Sonaten und Partiten für Violine allein, herausgegeben von Joseph Joachim und Andreas Moser, Berlin, Bote & Bock, 1908

per la *Ciaccona* dalla *Partita* in Re minore:
elaborazione per violino e pianoforte di Felix Mendelssohn Bartholdy
Joh. Seb. Bach's Chaconne with variations, written for the violin solo, with additional accompaniments for the piano forte, by Felix Mendelssohn Bartholdy., London-Hamburg, Ewer & Co.-Crantz, 1847

per la Cantata *Herr Gott, Beherrscher aller Dinge* BWV 120a, in *Bach-Gesellschaft Ausgabe*, XLI (a cura di Alfred Dörffel), pp. 149-174, Leipzig, Breitkopf & Härtel, 1894

Altre revisioni consultate

Violinsonaten, revidiert von Jenö von Hubay, Wien, Universal Edition, 1900

Sonaten und Partiten für Violine solo, neue Ausgabe von Carl Flesch, Leipzig, Peters, 1903

6 Sonates à violon seul, révision et annotations de Lucien Capet, Paris, Maurice Senart & Cie., 1915

Sei Solo. Tre Sonate e tre Partite per violino, revisione di Michelangelo Abbado, Milano, Curci, 1972

Sonaten und Partiten für Violine solo, herausgegeben und mit Fingersätzen versehen von Henryk Szeryng, Mainz, Schott, 1981

RINGRAZIAMENTI

Le persone da ringraziare sarebbero molte, anche lontane nel tempo. Senza in cuor mio dimenticarne nessuna, mi limito a ricordare chi ha concretamente accompagnato il mio lavoro.

Grazie, dunque, a Francesco Fanna e Giorgio Fava, e a Gabriele Manca, Ottavio Dantone e Bruno Zanolini, che hanno avuto pazienza di rispondere alle mie domande, e nel farlo mi hanno messo a disposizione la loro sapienza, esperienza e capacità di vedere dentro le cose; alle mie allieve e ai miei allievi di violino, che hanno usato le bozze per studiare, e così facendo le hanno rilette per me; a Francesco della Volta, ormai ex allievo, che le bozze le ha lette tutte da cima a fondo, ha commentato e qualche volta contestato le mie scelte, e ha tradotto i testi in tedesco; a Silvia Canavero e Jacopo Columbro, anche loro ex allievi: Silvia – anzi, Szilvia – mi ha dato un aiuto prezioso con alcune traduzioni, ha riletto con pazienza e gusto tutti i testi e mi ha consigliato su ogni cosa; dal canto suo Jacopo mi ha aiutato a dare il giusto peso ad alcune questioni; a Nicoletta Mainardi, Agostina Mari e Guido Muneratto, che mi hanno fornito materiale prezioso; e naturalmente al mio editore, nelle persone di Ilaria Narici, che ha creduto nel progetto – e già questo mi è sembrato un premio –, e Ivano Bettin, che l'ha seguito in ogni sua fase, senza mai farmi mancare fiducia e incoraggiamento; e, da ultimo, grazie a Giovanna, mia moglie, che ha impaginato queste musiche con eleganza, ha riletto ogni parola, e ha vissuto con me questa avventura fin dalle prime, frammentarie esecuzioni da studente.

Una sola eccezione tra le persone lontane voglio fare per il mio maestro, Paolo Borciani, che mi ha condotto in questo mondo meraviglioso. Spero sarebbe stato interessato a vedere come ho affrontato questo o quel problema, e sono lieto che sia stato suo nipote Beniamino a tradurre i testi in inglese: anche questa è stata una maniera per sentirlo vicino.

Altre persone ci sarebbero, e importanti. Come ho detto, sono nel mio cuore.

Fulvio Luciani, 11.VII.2022

TAVOLA DEI SEGNI

E A D G sulla prima, sulla seconda, sulla terza e sulla quarta corda

I II III IV in prima posizione, in seconda posizione ecc.

0 1 2 3 4 corda vuota, primo dito, secondo dito ecc. – tutte le diteggiature sono del revisore, tranne due che compaiono nella fonte e sono segnate in corsivo, a battuta 43 della *Gavotte en Rondeaux* della *Partita* in Mi maggiore

① ② ③ ④ tieni posato il primo dito, tieni posato il secondo dito ecc.

(0) (1) (2) (3) (4) diteggiature opzionali: sono segnate tra parentesi perché sia chiaro da dove a dove ha effetto l'alternativa

⟶ prendi la quinta sulla corda superiore e tieni posato il dito sulle due corde, per suonare e perché serva da riferimento alle altre dita

⟵ prendi la quinta sulla corda inferiore e tieni posato il dito sulle due corde, per suonare e perché serva da riferimento alle altre dita

prendi la quinta sulle due note consecutive connesse dal simbolo

estensione o contrazione del dito, senza che si avverta il cambiamento di posizione

resta resta in posizione

arcata *in giù* / V arcata *in su*

legature evidentemente mancanti, aggiunte secondo logica o per comparazione

legature proposte del revisore, oppure una seconda lettura della fonte, diversa da quella comunemente accettata; le note chiariscono

gioco d'arco il cui scopo è di distinguere la pronuncia della nota tenuta nella voce superiore da quelle separate nella voce inferiore o viceversa, vedi ad esempio 15-16 della *Fuga* della *Sonata* in Sol minore e nota relativa:

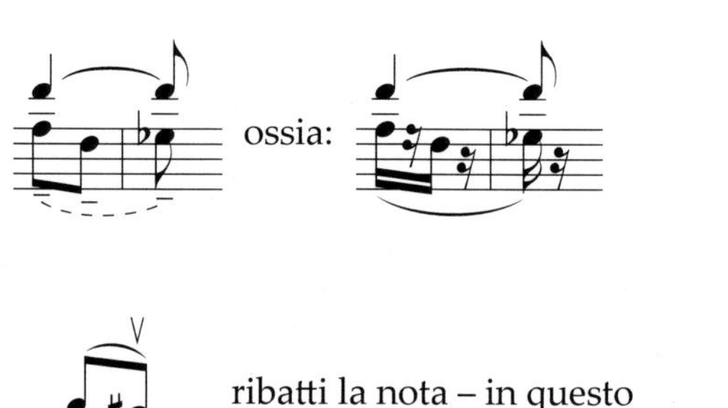

ribatti la nota – in questo caso *la*^{3} – anche nell'arcata seguente, ossia:

– sono semplici segnali di attenzione, non costituiscono un'indicazione di pronuncia; sono segnati solo nei rari casi in cui la corretta divisione potrebbe risultare equivoca, vedi ad esempio 110-113 del *Presto* della *Sonata* in Sol minore BWV 1001

↓ accordo preso dalle note acute verso le note gravi

↑ primo accordo da eseguire nel senso abituale – dalle corde gravi verso quelle acute – dopo che era stata data l'indicazione precedente, vedi nota a 20 della *Fuga* dalla *Sonata* in Sol minore BWV 1001

↗ ↘ voce principale interna a un accordo, vedi 16 e 30 della *Fuga* della *Sonata* in Do maggiore BWV 1005 e note relative:

+ trillo dalla nota superiore

PREFACE

The road that brought Johann Sebastian Bach's *Sei Solo â Violino senza Basso accompagnato* from the author's pen to its first ever performance is a long and winding one.

We don't know when Bach composed the *Sei Solo* – whether he wrote them following an encounter with a great violinist or whether he was urged to write them for some other occasion. We only know that in 1720, during his employment at the calvinist court of Cöthen, he laid out these six grand compositions in an exceptionally neat manuscript, perhaps in sight of a publication that never saw light. They are polyphonic compositions for solo violin, which was extremely unusual for the violinistic practice – we have a few other examples between the 17th and 18th century by Biagio Marini, Francesco Geminiani and others; but mostly in Germany, in the current that was represented chiefly by Heinrich Ignaz von Biber, Johann Paul von Westhoff and Jakob Walther; and Johann Georg Pisendel,[1] who was considered to be the most influential violinist of his time.

Years later, a second copy was made within Bach's own family by his wife, Anna Magdalena; several other handwritten copies[2] show a certain interest for the *Sei Solo* over the course of the eighteenth century, but there's no record whatsoever of public performances. However, the *Sei Solo* were printed in two different editions in the year 1802: one printed by Simrock in Bonn, the other by Decombe in Paris. In 1799 Jean-Baptiste Cartier had published – printed by Decombe – the *Fugue* from the *Sonata* in C Major BWV 1005 as the last and most advanced exercise in his *Art du violon*. It was printed once more, very soon after, in 1809, by Simrock – with the title *Studio*.

On the 8th of February 1840, the earliest known performance of the *Ciaccona* took place – separate from the *Partita* in D minor BWV 1004 – at the Gewandhaus in Leipzig; the violinist was Ferdinand David. A full hundred and twenty years had gone by since the final draft of the manuscript. But it wasn't an *a solo* performance: David was accompanied on the piano by Felix Mendelssohn, who may have improvised his part harmonizing on the bass like Continuo players.[3] On that night, David also performed the Prelude from the *Partita* in E Major BWV 1006 as an encore, accompanied by Mendelssohn.

A second performance took place a year later, once more at the Gewandhaus in Leipzig, once more with David and Mendelssohn, with Clara and Robert Schumann in the audience. Clara chronicles the event in their shared diary, with a delightfully naive mention of the *Ciaccona*:

> Thursday the 21st ushered in the historical concerts with Bach and Händel. There was nothing to complain about the concert, other than that there were too many things of beauty. […] The Chaconne (what does Chaconne actually mean?) gave me great pleasure, and David also played it magnificently.[4]

According to Clara, of all the pieces performed that night, Robert loved the three extracts from Bach's *Mass* in B minor; in reality, he was so captured by the execution of the *Ciaccona* that he decided to compose a piano line for the whole cycle, which was published by Breitkopf & Härtel in Leipzig in 1854. His goal was a practical one: he wanted to provide violinists with the accompaniment necessary in order even to conceive the idea of playing that music. His writing is unobtrusive: he simply provides the piano with the means to bring to light the harmony and counterpoint implicit in Bach, matching the accompaniment to the character of each page; as though Schumann himself were annotating his footnotes and leading the way with the piano.

Immediately following these performances, Ferdinand David published his own revision at Kistner in Leipzig in 1843, with the same title as the Simrock edition of 1809: *Studio*. It's the first edition conceived for

1. In the quest to identify an inspirer or a recipient of this violin cycle by Bach, many names have been made, but none has been identified with certainty. One of these is Johann Georg Pisendel. Our clues are their encounter in Weimar, prior to Bach's relocation to Cöthen, and a manuscript in Pisendel's possession, which contained the *Sei solo* along with other violin works by Angelo Ragazzi, Nicola Matteis the Younger, and Francesco Geminiani. The manuscript was kept by the Dresden Landesbibliothek and lost during the Second World War.

2. Six, to be precise, in addition to Anna Magdalena's: in one of them, the *Sei Solo* were transcribed for the cello.

3. In 1847 Mendelssohn published a version of the *Ciaccona* for violin and piano at Ewer & Co. in London, and at Crantz in Hamburg; this version probably reflects the music he played that night and in the other concert the following year. Before him Franz Wilhelm Ressel had published his own rendition at Schlesinger, in Berlin, in 1845.

4. Robert Schumann – Clara Wieck, *The Marriage Diaries of Robert & Clara Schumann – From their wedding day to through the Russia trip*, edited by Gerd Nauhaus and Ingrid Bodsch, Northeastern University Press, Boston, Massachusetts, 1993, p. 53, translated by Peter F. Ostwald.

practical use: he marks the bowings, the fingerings and interpretation, and states on the title page «for the use of the Leipzig Conservatoire of Music».

From a publishing standpoint, the edition is quite unusual: to facilitate comparisons, the revised stave is placed above another one with the diplomatic version of the source, uncorrected and uncommented. In later years, this solution was be adopted by other reviewers – among others, Joachim and Flesch; a very useful format, that highlights the practical aspects of the performance: the layering of the sounds, the bowings and so on; this goes to show how, as far as the *Sei Solo* are concerned, a mere work of revision is not enough, and how greatly the performer's initiative is of essence on many levels.[5]

The *Sei Solo*, titled in David's edition as *Sechs Sonaten für die Violine*, are no longer perceived as a mere treatise of violin technique meant as a theoretical study for composers rather than as a practical guide for performers. This is the starting point of their history as training ground for students of the violin. The *Sei Solo â Violino senza Basso accompagnato* start their journey here, in Leipzig, with Mendelssohn, Schumann and David, the cloistered environment that gave way to their rediscovery; and from here they will journey on in a seamless continuum of personal relations and shared experiences.

In 1853 Schumann is about to publish his version for violin and piano of the *Sechs Sonaten für die Violine*. That same year he meets Brahms in Düsseldorf. In these years, a number of piano transcriptions of the *Ciaccona* are in circulation. Brahms himself writes one, possibly in 1877, published among his *Studien für das Pianoforte*, number 5.[6] He seldom intervenes, except for two genuine strokes of genius: he lowers the whole piece by an octave – which dampens the piano's brilliance and results in a darker, denser sound – and he forces the pianist to use his left hand only, a restriction that strips the performer of his ordinary skills and leaves him in a condition of frailty – like the violinist playing Bach's original. One might assume, based on the title of the collection, that Brahms stops at the educational purpose of this music, but he doesn't: instead he gives his own artistic reading; he operates with unbelievable psychological subtlety – visionary, one might say, since he writes it in a time before *a solo* violin performances were widespread. It was perhaps the *a solo* performance, rather than the polyphonic nature of the composition,[7] that puzzled violinists. In a way, Schumann and Brahms travel in opposite directions. Schumann provides the violin with a support to lean on, allowing it to carry out an endeavour that was probably conceived as unattainable. Brahms, on the other hand, acknowledges the frailties of his project turning them into strong points; he transfers them onto the piano, that had become the epitome of solitude. While today both approaches might sound inauthentic, at the time the violin needed support and examples it could follow, in order to overcome the psychological barrier of a territory so distant from its control. Both composers offer support and examples, and both offer authenticity – in essence if not in form.

Our trace continues from Brahms to his friend, Joseph Joachim. *A solo* performances of Bach's works begin with him. We are given a glimpse of the previous situation by Jenő Hubay, pupil of Joachim at the Berlin Conservatoire, and Brahms' favourite interpreter – he was first violin and founder of the Budapest Quartet. In the preface to his revision of Bach's *Violinsonaten* – that's the title he chose – Hubay begins by acknowledging Joachim as the person responsible for introducing them in concert circuits and earning them the love of the general public.

> Some parts of these sonatas had been played in public by certain violinists before Joachim's time, but as the spirit and the technique of these works were quite strange to the performers, the interpretation made a ridiculous impression on the audience. Any success was made quite impossible on account of the want of knowledge in the performers.[8]

Joachim aroused a real worship for Bach. Other violinists started following his example: Leopold Auer, Eduard Reményi, August Wilhelmj among others – and Joseph Hellmesberger, who published a revision as early as 1865, printed by Peters, in Leipzig, titled *Sonates ou suites*.

The *Sonatas and Partitas* became one of the pillars of Joachim's teaching technique and have remained so since, for schools worldwide. According to Hubay, Joachim used the "excellent edition by David, based on Bach's manuscript",[9] with his own fingerings, bowings and interpretation marks. A further revision of the *Sonaten und Partiten*[10] by Joachim was completed by Andreas Moser

5. Enrico Mainardi offered a similar solution in his revision of the *6 Suites a Violoncello Solo senza Basso*, published in Mainz by Schott in 1941: he wanted to highlight the underlying polyphony with the help of graphics – even in strictly monodic pieces. In the introduction he states: «The analysis placed under the staves was written in order to see all the parts miraculously concurring to create this music, even though most of the time it is expressed by a single voice.»

6. The *Studien für das Pianoforte* Anh. 1a/1 were published at Bartholf Senff in Leipzig – the editor of the *Sonata* n. 3 op. 5 – in separate booklets, in 1869 and 1878. They are all transcriptions from a *Study* by Chopin, a *Rondeau* by Weber, and from Bach. Studies number 3 and 4 are two different transcriptions of the Presto from the *Sonata* in G minor BWV 1001.

7. Giuseppe Tartini tends to be left out when speaking of solo violin: his *Sonatas* – kept in the Biblioteca Antoniana of the Basilica del Santo in Padua – are relatively unknown. The manuscript containing them is a sort of personal diary, featuring compositions to be played privately; the term "*a solo* sonatas" acquires a double meaning: the instrument performs without accompaniment, and the performer plays without an audience. Tartini's poetic project is less striking than Bach's, but just as bold.

8. Johann Sebastian Bach, *Violinsonaten*, Revidiert von Jenö von Hubay, Wien, Universal Edition, 1900, p. III.

9. *Ibid.*

10. We must bear in mind that for his edition Joachim could rely on the autograph, now preserved in Berlin, which was entirely

after Joachim's death, and published by Bote & Bock in Berlin in 1908. That edition consolidates the title *Sonatas and Partitas*, still widely used today.

It was a life-long project for Joachim. His rapport with the "old Bach" dated back to 1844 at least, when a 13-year-old Joachim performed an *Adagio* and *Fugue*, possibly the ones in G minor, in London. He recounts the event in a letter to his teacher, Joseph Böhm.[11] We can still listen to Joachim's rendition of the *Adagio* in G minor, in one of two Bach recordings of 1903, when he was seventy-two – the other one is the Tempo di Borea from the *Partita* in B minor BWV 1002: two of the oldest – and most moving – recordings in the history of recorded music.

The practice of performing individual movements from Bach's *Sonatas and Partitas* with piano accompaniment will carry on in the following years, as evidenced by the executions and the printed publications by August Wilhelmj, Camille Saint-Saëns, Willy Burmester, Leopold Auer and Fritz Kreisler; and collaterally, the habit of playing individual movements *a solo* – as if they were miniatures or *virtuoso* genre pieces – gradually catches on.[12]

So, the complete performance on the original instrument is a relatively recent custom. It started between the two World Wars, with Yehudi Menuhin's recording, and established itself mainly during the second post-war period, with records and concerts by Nathan Milstein, Arthur Grumiaux and countless others, and chiefly Henryk Szeryng – who was also author of a truly unmissable revision, published in Mainz by Schott in 1981 – and Sigiswald Kuijken on a period instrument.

---

unknown in the nineteenth-century. The manuscript has the indication *Louisa Bach | Bückeburg | 1842*: it belonged to the third daughter of Johann Christoph Friedrich, born of Johann Sebastian's second marriage, so cut out of his father's legacy – which was reserved to first marriage children. We have no clue as to how the manuscript made its way into Johann Christoph Friedrich's hands, whether via his mother or his father, but it was scrupulously preserved within the family until Louisa's death in 1852. It was then given away, and we lose its tracks until 1890, when Rosenthal, antiquarian in Munich, sold it to Eusebius Mandyczewski, archivist for the Gesellschaft für Musikfreunde in Vienna. In turn, he offered it to Brahms – relying on the fact that upon Brahms's death his whole library would be bequeathed to the Society. The manuscript, which was exceptionally beautiful, was very expensive; it wasn't numbered in the Spitta or the Bach-Ausgabe, and Brahms preferred not to take the risk of buying it. It came into the possession of Wilhelm Rust, one of the directors of the Bach-Ausgabe, and in 1917 it was taken by the Staatsbibliothek preußischer Kulturbesitz in Berlin, along with the whole of Rust's library.

11. Joseph Joachim, *Letters from and to Joseph Joachim*, London, MacMillan, 1914, p. 2: "I play Paganini a good deal also, as well as old Bach, whose *Adagio and Fugue* for the violin alone I played in public in London", translation by Nora Binckley.

12. The most ancient Bach recordings in history are as pivotal as the printed editions mentioned so far, in clearly testifying the continuum of personal relations and experiences we have been examining up to here. Each of the names that follow has deep ties – either academic or artistic – to David, Joachim or Brahms.

After Joachim, the following recordings were: Hugo Heerman's, *a solo*, the Prelude of the *Partita* in E Major BWV 1006, in 1909; Willy Burmester's, with the piano, the Gavotte en Rondeaux from the *Partita* in E Major, in the same year; Marie Ernestine Soldat-Röger's, *a solo*, the Largo from the *Sonata* in C Major BWV 1005 and the *Prelude* from the *Partita* in E Major – a beautiful rendition, both instrumentally and from the point of view of the phrasing – around that period; lastly Maud Powell's, *a solo*, the *Bourrée* from the *Partita* in B minor BWV 1002, in 1913. In later years, Fritz Kreisler recorded individual movements *a solo* or with piano accompaniments he wrote himself.

Hugo Heerman was a violinist of French-Belgian tradition, and a friend and collaborator of Brahms's; he premiered the Brahms *Violin Concerto* in Paris and New York. Willy Burmester, Maud Powell, American violinist and Marie Soldat-Röger were pupils of Joachim's in Berlin. Soldat-Röger was the first female performer of the Brahms *Violin Concerto*, in Vienna in 1885.

The link with Kreisler is somewhat more nuanced and not entirely direct: he was a pupil of Joseph Hellmesberger, grandson of Georg Hellmesberger, former student and later assistant to Joseph Böhm, who taught Joseph Joachim and Jakob Dont, who was in turn Leopold Auer's and Eduard Reményi's teacher.

As to the printed editions, enough has been said about Jenő Hubay's, and August Wilhelmj studied in Leipzig with Ferdinand David.

The only exceptions are Camille Saint-Saëns and Pablo de Sarasate, the latter being author of the second oldest Bach recording: the *Prelude* from the *Partita* in E Major BWV 1006, recorded in 1904 *a solo*.

TEXT, EDITORIAL CRITERIA

The source for this edition is the 1720 autograph, preserved in the Berlin Staatsbibliothek preußischer Kulturbesitz.

Secondary sources are the Anna Magdalena copy, drafted within Bach's family during his lifetime, and the **P 267** manuscript, transcribed by two anonymous copiers.

The distance between the other five eighteenth-century copies and the autograph source raises issues that should be addressed case-by-case; they have been consulted only on occasion, and are not mentioned in the notes.

Other sources – mentioned in the introductory notes the to individual compositions and in the list of sources – have been taken into account only concerning the *Sonata* in A Minor BWV 1003, the *Adagio* of the *Sonata* in C Major BWV 1005 and the *Partita* in E Major BWV 1006.

Accidentals have been marked following contemporary custom. Some issues raised have been addressed in the notes.[1]

In some cases the rhythmic groups have been left in the sinuous and smooth form that can be seen in the original source, instead of standardizing them to the modern editorial custom which favours a more immediate and easy rhythmic reading even at the cost of a somewhat stiffer writing. A correct interpretation of the division can be found in the notes.

The few dynamic indications have been left in the same shape and position they have in the original source.

There are no original fingerings, except two numbers in the Gavotte en Rondeaux of the *Partita* in E Major. All the others have been annotated by the editor.

The slurs in square brackets are additions made necessary by logic or comparison. Dashed lines are used to mark alternative reading solutions, differing from the widely accepted ones. In this case the stave will have two slurs, one above it, one under it, a note clarifying the matter.

A single dashed slur, on the other hand, indicates a suggestion from the editor.

The up-bows and down-bows are marked by the editor. They indicate the bowings, never conflicting with Bach's slurs,[2] while following the articulation of the main voice. So, by the very nature of these indications, the secondary voices should not be repeated in the new bowing, except in the few cases where it is explicitly suggested, for balance of sound or harmonic roundness.

In the cases of the *Fugue* themes, we provide a basic articulation scheme which can be also used for the deriving material.

Occasionally up-bows and down-bows are indicated even if not strictly necessary: they are intended to make the performer focus on the phrasing.

The editor's suggestions are easily identified: no articulations, bowings or interpretation marks have been added – just occasional breaths where the beginning and end of phrases could be misunderstood, and a few trills: round brackets distinguish them from Bach's originals.

The notes point out and discuss issues related to the reading of the text, and sometimes contain considerations and suggestions. They also signal the most relevant gaps between the original source and Ferdinand David's and Robert Schumann's editions, and occasionally others – Michelangelo Abbado, Lucian Capet, Joseph Joachim, Jenő Hubay and Henryk Szeryng, in order to document our ever-changing perception of this music over the ages.

1. The first is at the very beginning, see note at bar 3 of the *Adagio* of the *Sonata* in G minor. Also see note at bar 37 of the *Allegro* in the *Sonata* in A minor, and notes at bar 33 and 101 of the *Allegro assai* of the *Sonata* in C Major.

2. Violinists systematically mistake legato and bowings, which are indicated with the same symbol: the former pertains to the performance, while the latter pertains to the instrument. One should be able to change the bowing without interrupting the legato.

NOTES FOR THE PERFORMER

The unusual history of this music has certainly weighed on its reception. Forgotten for more than a century, it emerged by serendipity: a single movement out of the whole collection – the *Ciaccona* in D minor – meeting as it did the musical taste of its age, was considered perfect as a concert piece, even though it originated in a world with very different references and customs: in other words, the reasons why performers and listeners were interested in the piece were entirely different from the ones for which it was written.

From then on, the nineteenth century gradually appropriated the *Sonatas and Partitas*, but in the main it was the teaching world which took on itself the task of discovery: teachers perceived them as an ideal training ground to exercise the pupils' calling for contemplation and research – both outer and inner. A historically informed instrumental practice brought them back to the style of their age only in recent years, although this task with the *Sonatas and Partitas* turned out to be quite complex, as they are so unique in concept that treatises are not able to explain to a full extent how to perform them.

So collaterally to the historically informed rendition, a nineteenth-century practice, so to speak, still thrives. To this day, the latter is the one chosen by teachers, and thanks to an odd change in perspective, it is perceived as traditional, since performing early music on original instruments is still a somewhat niche practice.

Polyphony

The chords are the most blatant embodiment of polyphony on the violin, and a sensitive subject in the dispute between historically informed performers and those who adhere to the nineteenth-century tradition. When the *Sonatas and Partitas* were first performed, the range of skills available to violinists did not encompass chords, which were then perceived as irksome. While on one hand providing food for thought, and sparking courageous research – as we know, the mere act of playing the *Sonatas and Partitas* required courage – on the other hand the results of this research were profoundly indebted to the age they were achieved in.

It won't come as a surprise if I state that what we call a *chord* is actually a layering of sounds, vertical meeting points along different melodic paths. In the *Sonatas and Partitas*, this constitutes a problem not only concerning bowing technique, but also about the very meaning of the music. The *Sonatas and Partitas* gradually made their way into concert programs before historically informed performances began. Thus composers came up with extremely unconventional solutions, in an effort to make the singing lines in the central and lower register more audible. Among these solutions, the most unconventional has to be the one with the reverse chords: the bow moves from the higher strings to the lower, followed closely by the chords going back to an inner voice. Henryk Szeryng described this technique in detail in a seminal edition published by Schott in 1981: in it he explains the whys and wherefores of his technique. We cannot trace it back to any certified historical documents, but in his hands, in his wonderful performances, his technique became a canon of beauty of historical importance. Szeryng's goal was to make the performance as clear as possible. Although his research was carried out at a time when historical accuracy was not of essence, it was not devoid of ethical dedication.

The reverse chords, adamantly rejected by historically informed performers, can be achieved with a less natural – albeit not impossible – movement on the violin. They are not however any less pleasant to the ear, if aptly performed. And the same applies for chords that return to a central voice: they sometimes seem to be suggested by the very composition.[1] If the risk is the loss of a singing line or a fugue theme, I do not object to either solution: the places where I suggest using them are pointed out by arrows. But the cases are very few. Generally the nineteenth-century solution of keeping the lower note – and not the higher – on the downbeat gives sufficient clarity. Another way to unravel the sound texture and each line in the polyphony is to play the chords with arpeggios, as long as the performer chooses when and how much to do it, and how long to leave the overlapping notes to resonate.

But I think Bachian polyphony should be tackled from a less tangible standpoint: polyphony is unnatural to a singing instrument such as the violin. Bach's predecessors had made this a point of combinational skills, to be achieved by any means necessary, and had gone as far as the *scordatura* technique. Now, Bach was surely endowed with an incredibly sophisticated violin technique, but he may have written what he considered to be

1. See, for instance, the theme at the lower voice at bar 20 of the *Fugue* in G minor, or the central chord of bar 4 in the *Siciliana*, or bars 9 to 16 of the *Ciaccona*, where the duration of the main voice is meticulously indicated throughout the variation.

an ideal result – albeit not entirely achievable. Perhaps what he meant to do was to invite the listener to imagine part of the polyphony by help of the resonances and latencies skillfully brought forth by his writing,[2] rather that performing it to the full.

I admire the beauty and clarity of Szeryng's solutions, but sometimes I can't help but wonder if Bach's intention was indeed to make *every line* comprehensible. In a few cases, it is truly impossible. It might be that what matters is that there *be* a singing line, and that I – as a performer – be aware of it: a sort a hidden thought that somehow will get to my audience. And just like that, it seems to me that Bach's idea of polyphony, rather than a compositional and technical challenge, is a poetic idea.

Left hand, fingering

There are no indications of fingering throughout the autograph, except two numbers at bar 34 of the *Gavotte en Rondeaux* from the *Partita* in E Major BWV 1006: they were diligently copied by Anna Magdalena and they are found in italics in this edition. All other numbers were marked by the curator.

This revision is mainly concerned with the fingerings. They are systematically notated – alternatives to the fingerings can be found in brackets, to clarify their starting and finishing points. These alternatives do not follow a specific rule: some are unconventional fingerings, not strictly necessary, some are more traditional; some are thought for smaller hands, some follow tonal balances that may not work on certain violins, or may not meet the performer's inclinations.

I find fingerings, like bowings, are more than mere mechanics – they're a creative matter. A good fingering allows us to shape our musical idea, which will, in turn, help us come up with new fingerings: a virtuous circle of technique and imagination. Fingering is not reserved to performers: the relation between the idea and the technical gesture necessary to produce it starts when the music is first imagined. Fingering is a part of the composer's job.

I am convinced that Bach faced the issue keeping in mind a method akin to the piano, rather than the violin. By akin to the piano I mean the technique – self-evident on the piano – of opening and closing the hand as required.[3] The fingerings I suggest are based on this principle. To achieve them, the movements on the fingerboard should be done by extending and contracting the hand, regardless of fixed positions; the sliding of the fingers on the strings, and its consequent portamentos are to be avoided almost entirely. I noticed in many occasions that this use of the left hand makes performing easier and offers possibilities of expression, although at first glance it might make the reading harder. Without so much as an explanation or direction, I have often seen students – even relatively inexperienced ones – easily read fingerings that, if spelled out with the traditional techniques, would have required lengthy explanations. As of the first reading, they simply place the finger on the string to produce the note, and move their hand if needed.

As for the actual technique, I found that two pointers are very useful to achieve a correct position of the left hand: the fifths should be prepared – especially with the first finger – by placing the fingers without pressing the string, until they need to be moved – to be used elsewhere or to strike the open string. I advise students to prepare the fifths systematically with the first finger, regardless of how necessary they are; furthermore, when a finger is laid on a fifth it should stay in place even after a shift, and repositioned back after any movement.

I have limited myself to the bare essentials, sometimes offering examples that can be used in other parts.

I wrote the fingerings, whenever possible, so as to leave the fingers in place on the strings: this allows the secondary voices to resonate. Within limits, this aspect too can be calculated, and it falls within the playing choices of the performer.

I have not ceased the research of the timbre – a somewhat more modern and contemporary interest – following the example of Enrico Mainardi on the cello. Mainardi's fingerings tend to keep each voice on a single string, so as to give it timbral consistency and recognizability, as though the four strings were four separate singing voices.[4]

2. How to play Bach's music was subject of research long before the popularity of historically informed instrumental practice. Which should prevail, the polyphonic or the rhythmic dimension? When violinists seemed to be inclined to the former, peaks of extremity were reached, such as Vega's curved bow; it was used by Emil Telmányi, who was Jenő Hubay's pupil, so he too can be traced back to that heritage of experiences we followed between the nineteenth and twentieth centuries. An attempt to fabricate some historical reliability for Vega's bow has been made, but to no avail. Many brilliant ideas have been brought forth, such as Michelangelo Abbado's in his 1972 revision for Curci, Milan. Funnily enough, all these suggestions were brought forward in a time when the only shared element of Bachian performing was the so-called Bachian bow stroke, exemplified by Szeryng with an oboe-like articulation: musicians sought solutions out of love and sacred awe for this music. The solutions were so specific they were not usable elsewhere. They were suggested regardless of whether they were substantiated by historical research; this process was akin to the creation of an avant-garde technical language.

3. The pianist opens and closes the hand when needed, no questions asked, while the violinist must face the *horror vacui* generated by the string without so much as a visual clue: to do it, violinists learn to take advantage of the fixed position system. It is necessary, but sometimes it is applied without trying to sound its limits, and it can become a prejudice. If we try to reconstruct of the technique of great violinists of the past, we can discover attitudes that feel advanced even today; and in some cases even futuristic.

4. On this point, see the first three entries of the subject of the *Fugue* in G minor, unequivocally laid out by Bach on the second, third and first string.

The instrument

Regarding the instrument, and how to prepare it: I have spent my whole life wondering at the charm that the voice of the violin works on me. Playing the violin *a solo* has never scared me, probably because I love that dialogue with myself – so proper to the piano; I love the intimate moment of reflection, and I like expressing it with my instrument. But even more, I love it because it is so unnatural to the violin, and exploring it exhilarates me.

The beautiful voice of the violin is attention-demanding. It is a maverick voice, gifted with the mysterious faculty of holding on to all its charm and spontaneity even when multiplied, as in the violin section of an orchestra. The same applies to the human voice, beautiful both on its own and in a choir.

Which violin, though? I have played many throughout my life. And each required me to start afresh. Not just for technical reasons, but in the idea I had about the music I had played all my life: a new violin opens up new paths, holds new solutions, establishes new rules. It took me a while to understand this: I thought I had the upper hand. Even more: I thought I *needed* to have it, and to exert it with my technique. Down the road, I realized I was wrong, and the same applies to the bow. I remember my old teachers used to say you must not lead the bow: the bow leads you.

Thus if our purpose is performance, the violin and the paraphernalia we need to prepare it and use it are mere approximations: our research certainly needs them, but its journey continues.

SOURCES

Manuscripts

B: autograph
LOCATION: Berlin, Staatsbibliothek preußischer Kulturbesitz (Mus. ms. Bach autograph P 967)
TITLE: *Johann Sebastian Bach, Sei Solo. | â | Violino | senza | Basso | accompagnato. | Libro Primo. | da | Joh: Seb: Bach. | ao. 1720.*
DATE: 1720

AM: Anna Magdalena's copy
LOCATION: Berlin, Staatsbibliothek preußischer Kulturbesitz (Mus. ms. Bach P 268)
TITLE: *Pars 1. | Violino Solo | senza | Basso | composèe | par | Sr. Jean Seb: Bach. | Pars 2. | Violoncello Solo. | senza Basso. | composèe | par | Sr. J.S. Bach. | Maitre de la Chapelle | et | Directeur de la Musique | a | Leipsic. | ecrite par Madame | Bachen. son Epouse.*
DATE: c. 1725-1733/1734

P 267: by two anonymous copiers, contains all six Sonatas and Partitas
LOCATION: Berlin, Staatsbibliothek preußischer Kulturbesitz (Mus.ms. Bach **P 267**)
TITLE: *VI Violin-Solos | von | Joh. Sebast: Bach.*
DATE: c. 1725; BWV 1006 by another hand, probably in the second half of the nineteenth century

P 218: by Johann Christoph Altnickol (1719-1759), in contains the Harpsichord a solo *Sonata* in D minor BWV 964, an elaboration of the Violin a solo *Sonata* in A minor BWV 1003, and the *Adagio* in G Major for harpsichord BWV 968, a transcription for harpsichord in G Major from the *Sonata* in C Major BWV 1005
LOCATION: Berlin, Staatsbibliothek preußischer Kulturbesitz (Mus. ms. Bach **P 218**, Faszikel 2)
TITLE: *SONATA | per il | CEMBALO SOLO | del Sigr J.S. Bach*
DATE: c. 1750

BWV 1006a: autograph adaptation for lute from the Partita in E Major BWV 1006
LOCATION: Tokyo, Musashino Academy of Music (Littera rara vol. 2-14)
DATE: c. 1740/42

for the Cantata *Wir danken dir, Gott, wir danken dir* BWV 29
LOCATION: Berlino, Staatsbibliothek preußischer Kulturbesitz (Mus. ms. Bach P 166)
TITLE: *Beÿ der Raths-Wahl | 1731. | Wir dancken dir, Gott, wir danck[en] dir. | à | 4 Voci. | 3 Trombe | Tamburi | 2 Hautbois | 2 Violini | Viola | e | Continuo | con | Organo obligato | di | Joh. Seb: Bach.*
DATE: 1731

Printed works

D: Ferdinand David's revision
Sechs Sonaten für die Violine allein von Joh. Sebastian Bach. Studio ossia Tre Sonate per il Violino solo senza Basso Zum Gebrauch bei dem Conservatorium der Musik zu Leipzig mit Fingersatz, Bogenstrichen und sonstigen Bezeichnungen versehen von Ferd. David, Leipzig, Fr. Kistner, 1843

S: Robert Schumann's version for violin and piano
Sechs Sonaten für die Violine von J. S. Bach mit hinzugefügter Begleitung des Pianoforte von Robert Schumann, Leipzig, Breitkopf & Härtel, 1854

BG: *Sechs Sonaten für Violine*, in *Bach-Gesellschaft Ausgabe*, XXVII (edited by Alfred Dörffel), p. 3-56, Leipzig, Breitkopf & Härtel, 1879

J: Joseph Joachim's revision
Johann Sebastian Bach, *Sonaten und Partiten für Violine allein*, herausgegeben von Joseph Joachim und Andreas Moser, Berlin, Bote & Bock, 1908

for the Ciaccona from the *Partita* in D minor:
elaboration for violin and piano by Felix Mendelssohn Bartholdy
Joh. Seb. Bach's Chaconne with variations, written for the violin solo, with additional accompaniments for the piano forte, by Felix Mendelssohn Bartholdy, London-Hamburg, Ewer & Co.-Crantz, 1847

for the Cantata *Herr Gott, Beherrscher aller Dinge* BWV 120a, in *Bach-Gesellschaft Ausgabe*, XLI (edited by Alfred Dörffel), p. 149-174, Leipzig, Breitkopf & Härtel, 1894

Other revisions

Violinsonaten, Revidiert von Jenö von Hubay, Wien, Universal Edition, 1900

Sonaten und Partiten für Violine solo, Neue Ausgabe von Carl Flesch, Leipzig, Peters, 1903

6 Sonates à violon seul, révision et annotations de Lucien Capet, Paris, Maurice Senart & Cie., 1915

Sei solo. Tre Sonate e tre Partite per violino, revisione di Michelangelo Abbado, Milano, Curci, 1972

Sonaten und Partiten für Violine solo, Herausgegeben und mit Fingersätzen versehen von Henryk Szeryng, Mainz, Schott, 1981

Acknowledgements

Many people – some from far back in time – should be recipients of these acknowledgements. I forget none in my heart, but I will limit myself to recall those who have supported my work concretely.

My gratitude goes to Francesco Fanna and Giorgio Fava, and to Gabriele Manca, Ottavio Dantone and Bruno Zanolini who answered my questions with patience, thus granting me access to their knowledge, their expertise, and their insight; to my violin students, who have used my drafts as textbooks, proofreading them for me; to Francesco della Volta, former pupil of mine, who read all the drafts cover to cover, commenting – and sometimes challenging – my decisions, and author of the German translation; to Silvia Canavero and Jacopo Columbro, former students of mine: Silvia – nay, Szilvia – has been a precious aid with some translations, she has proofread all my texts with patience and enjoyment and advised me on all manner of things; Jacopo, for his part, helped me weigh certain matters with balance; to Nicoletta Mainardi, Agostina Mari and Guido Muneratto, for providing me with valuable material; of course to my editor, in the persons of Ilaria Narici, who believed in the project – and that was prize enough –, and Ivano Bettin, who followed it through every stage, never failing to give me faith and encouragement; and, lastly, I thank Giovanna, my wife, who laid out this music with elegance, proofread every word, and embarked in this adventure with me since my first slivers of performances as a student.

I would like to make one exception for the people from way back when: I thank my teacher, Paolo Borciani, who led me through this wonderful world. I hope he would be interested in seeing how I faced this or that issue, and I am glad his grandson Beniamino took care of the English translation: it has been a new way of feeling him close to me.

Other important people should be mentioned. As I said, they're in my heart.

Fulvio Luciani, 11.VII.2022

CHART OF SYMBOLS

E A D G on the E string, on the A string, on the D string, on the G string

I II III IV in first position, in second position etc.

0 1 2 3 4 open string, first finger, second finger etc. – all fingerings are written by the curator, except the two that appear in the source and are marked in italics, at bar 43 of the Gavotte en Rondeaux of the Partita in E Major.

① ② ③ ④ lay down the first finger, lay down the second finger, etc.

(0) (1) (2) (3) (4) optional fingerings: marked in brackets to clarify the span of the alternative

⟶ prepare the fifth on the string above nd keep the finger placed on the two strings, both to play them and as a reference for the other.

⟵ prepare the fifth on the string below and keep the finger placed on the two strings, both to play them and as a reference for the other.

^ prepare the fifth on the two notes connected by the symbol

⌐ extension or contraction of the finger, hiding the change of position

resta keep the position

⊓ down-bow / V up-bow

[⌒] slurs whose absence is obvious, added by logic or comparison

╭╌╌╮ slurs suggested by the curator, or additional interpretation of the source, different from the widely accepted one; footnotes clear up the matter

⌣ bowing that aims to distinguish the pronunciation of the prolonged note in upper voice from the separate notes in the lower voice, or viceversa – see for example bars 15-16 of the *Fugue* from the *Sonata* in G minor and relative footnote:

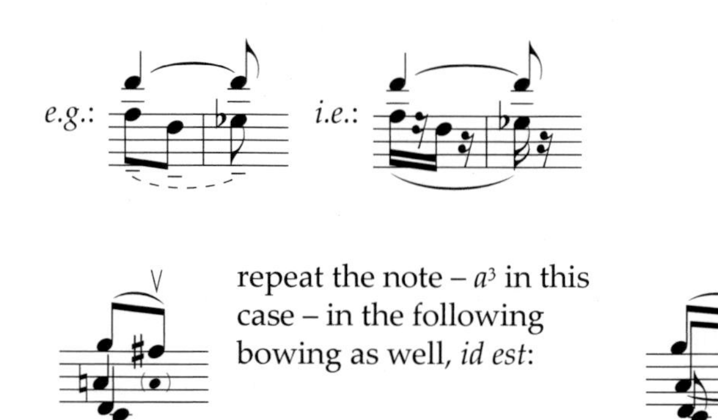

repeat the note – a^3 in this case – in the following bowing as well, *id est*:

– these are simple warning signs, and are not pronunciation indicators; they are marked in the few cases in which the correct division is ambiguous, see for instance bars 110-113 of the *Presto* in the *Sonata* in G minor BWV 1001

↓ chord played starting from the higher strings towards the lower strings

↑ first chord to be played in the usual manner – from the lower strings to the higher – after the previous indication, see note at bar 20 of the *Fugue* in the *Sonata* in G minor BWV 1001

↗ ↘ main voice returning to a chord, see bars 16 and 30 of the Fugue from the Sonata in C Major BWV 1005 and relative notes:

+ trill starting from the higher note

Sonate e Partite
per violino solo

Sonatas and Partitas
for Solo Violin

Sonata I

BWV 1001

J.S. Bach (1685-1750)

Adagio

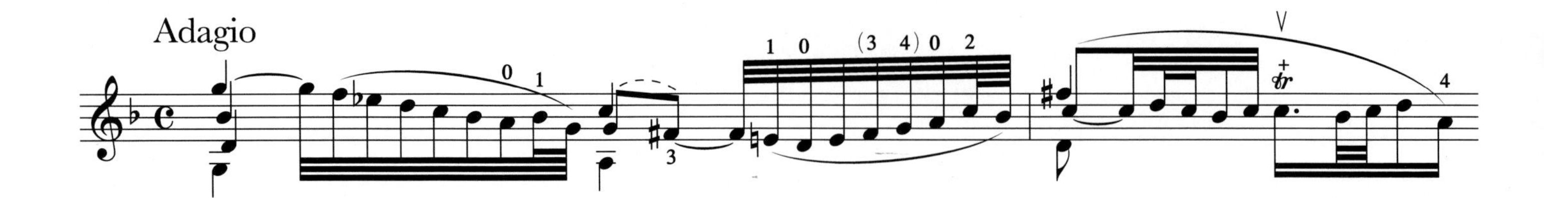

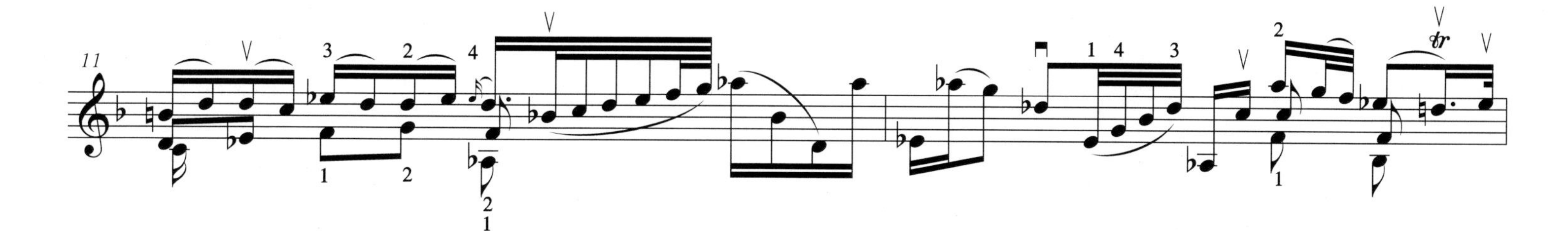

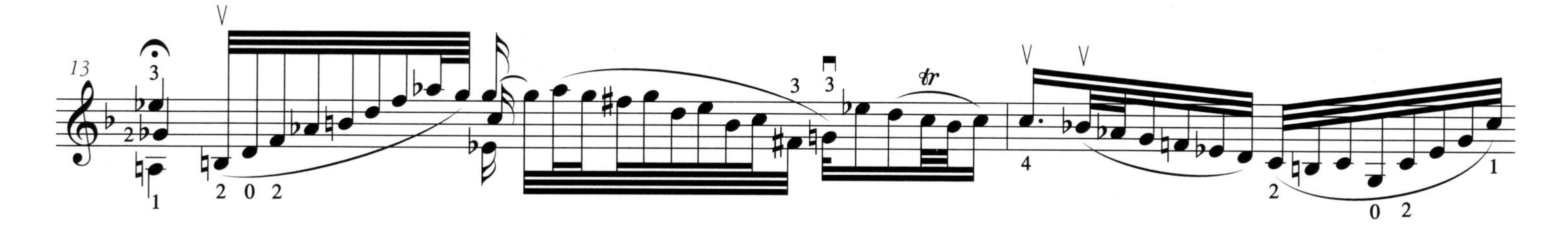

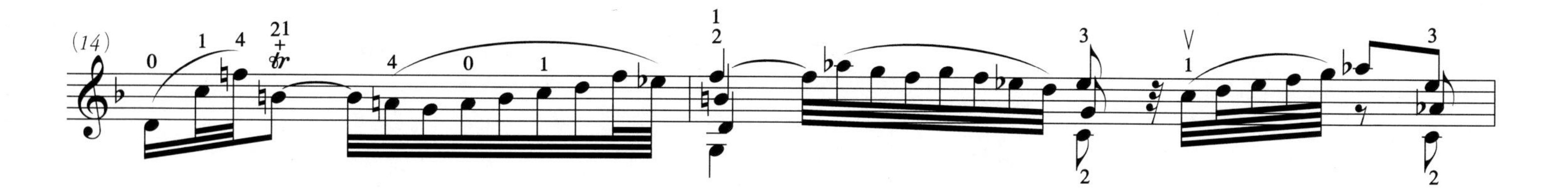

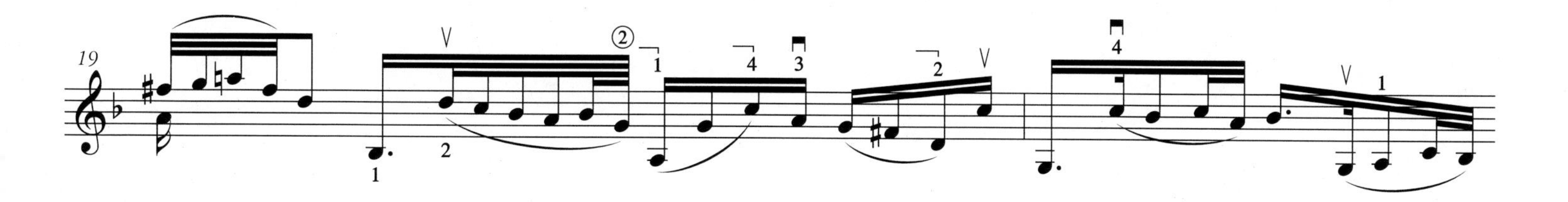

Fuga
Allegro

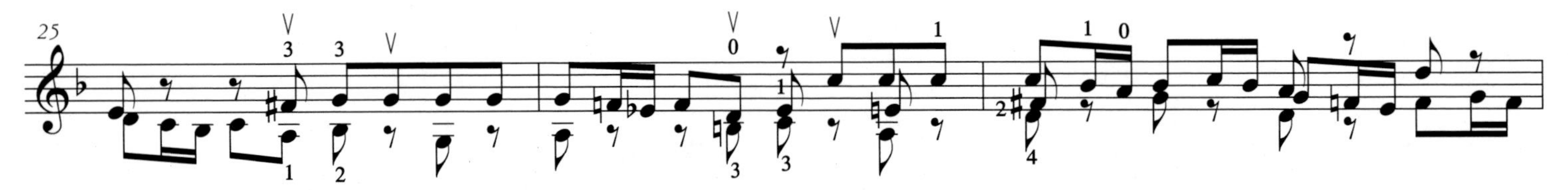

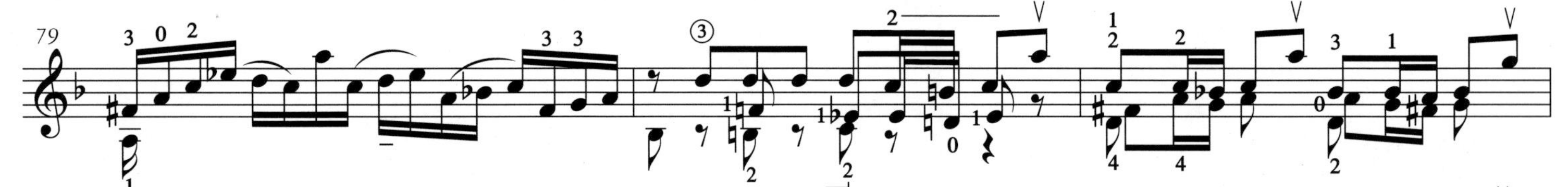

Siciliana

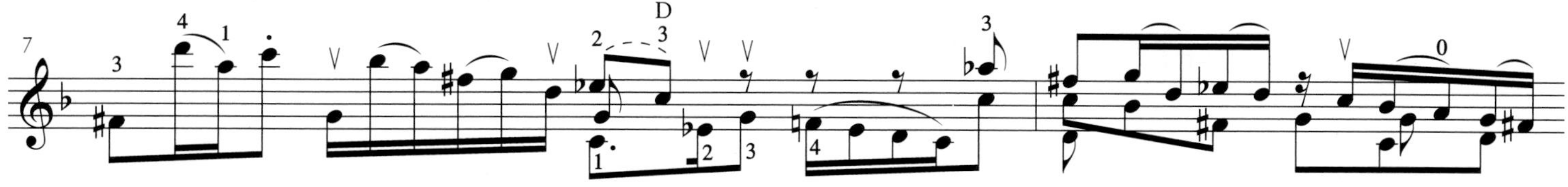

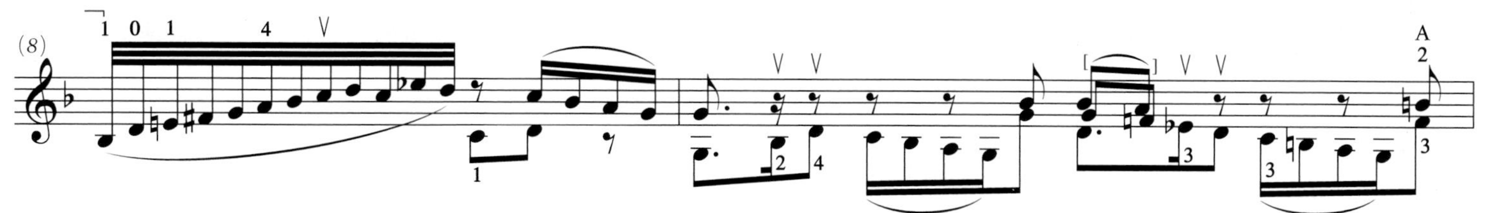

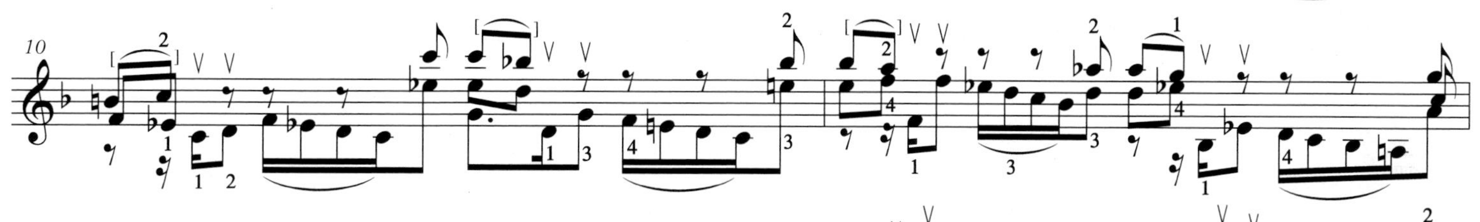

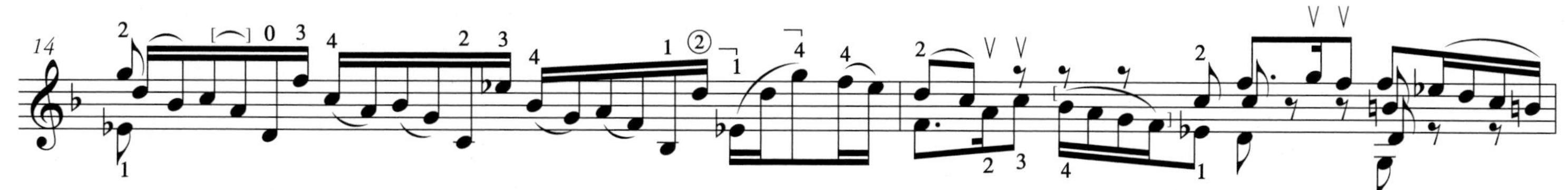

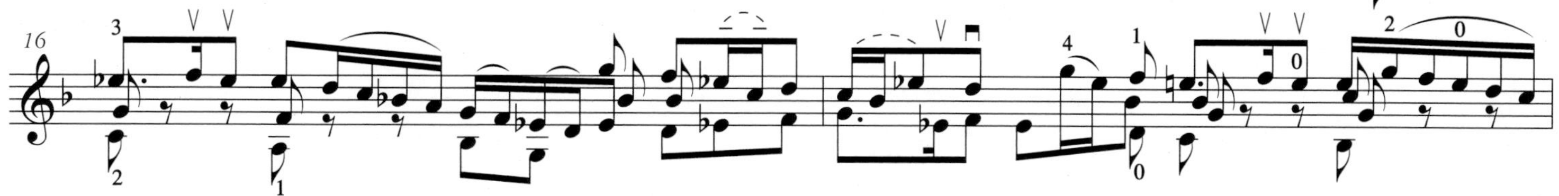

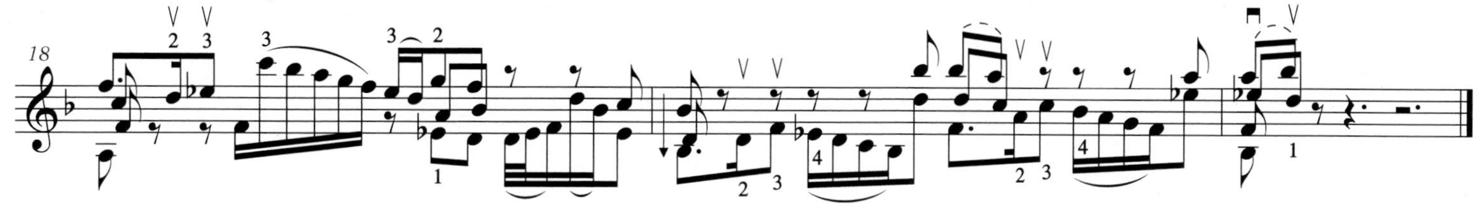

Presto

65

71

77

83

89

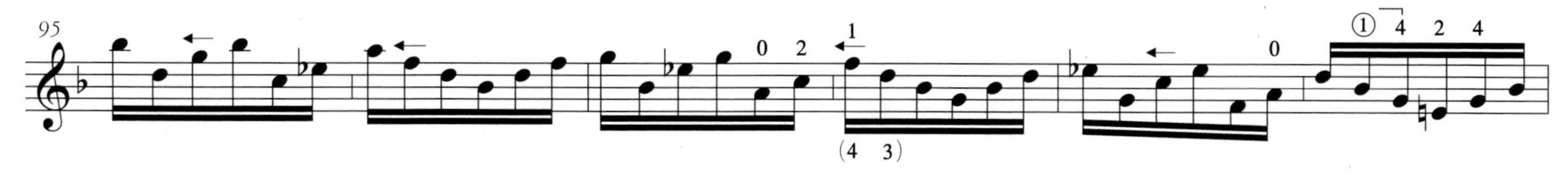
95

101

107

113

119

125

131

Partita I

Double

Corrente

Double
Presto

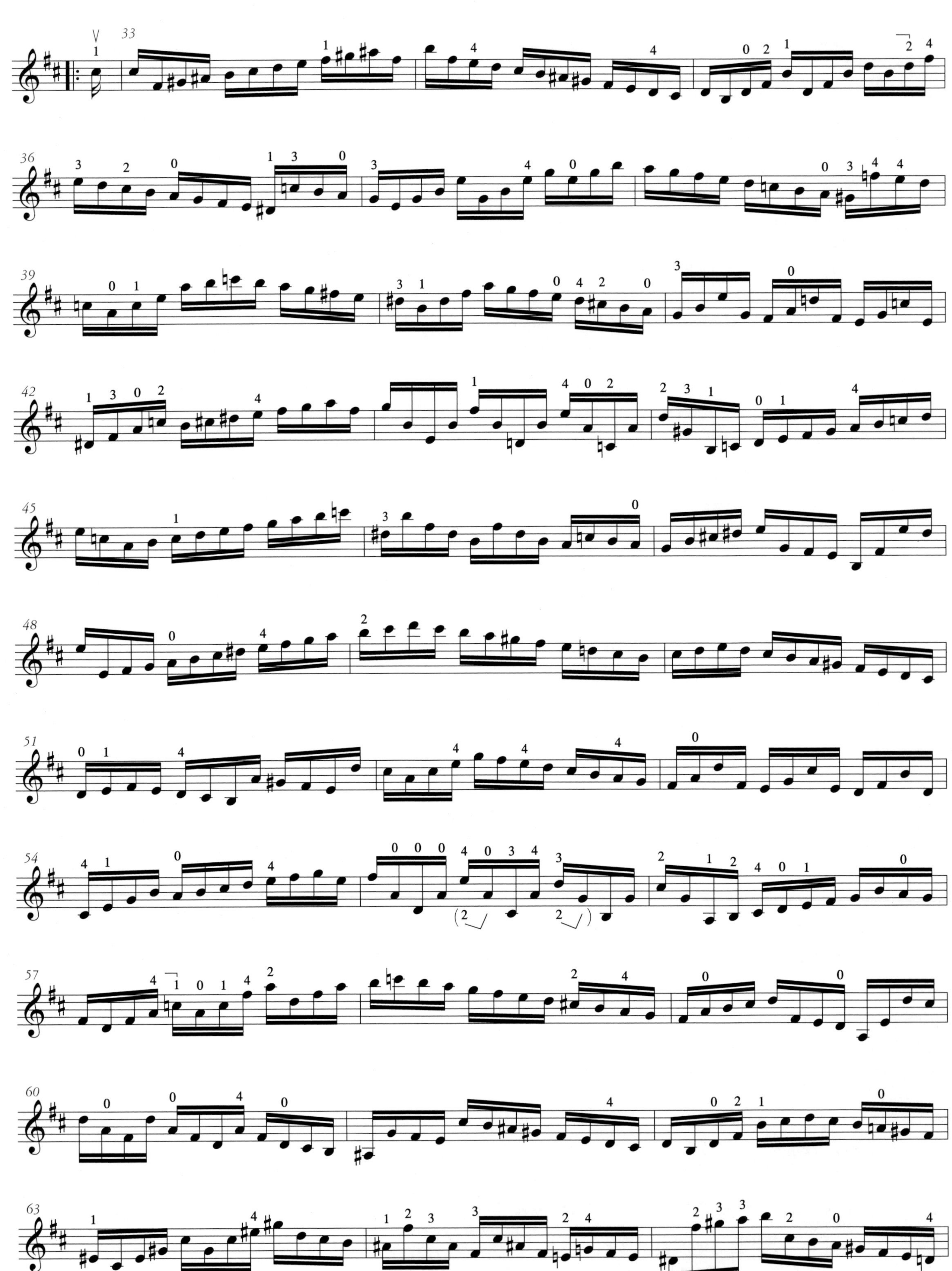

Sarabande

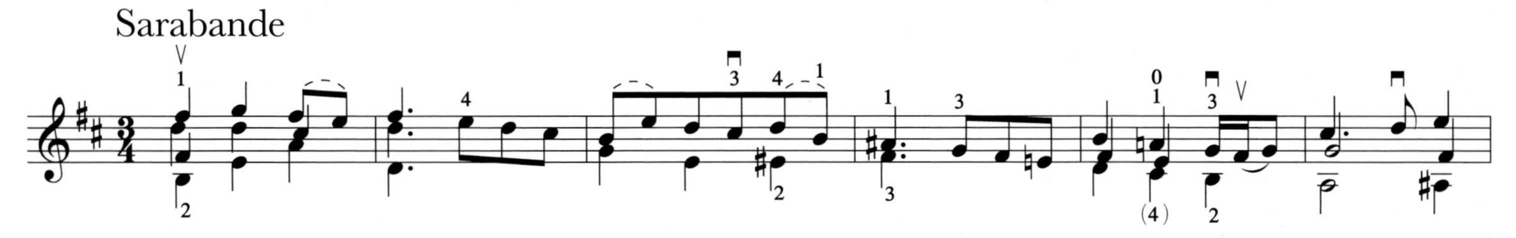

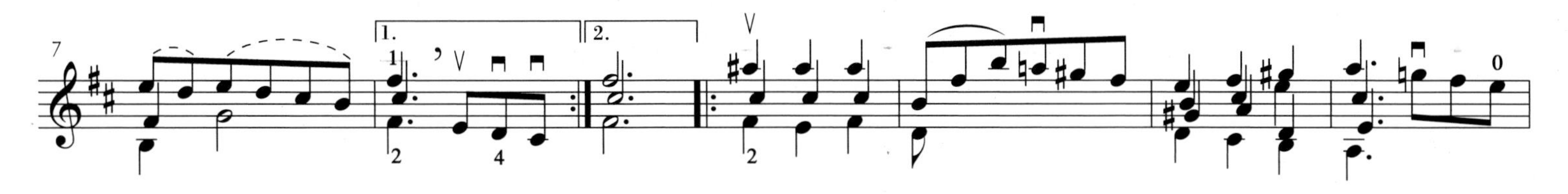

Double
Tempo di Borea

resta

Double

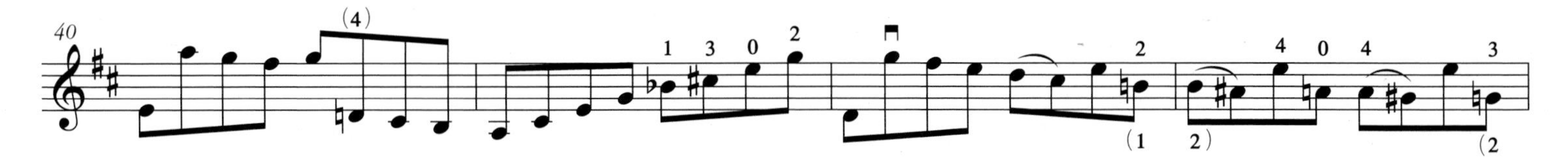

resta

D

SONATA II
BWV 1003
Grave
II pos.
resta

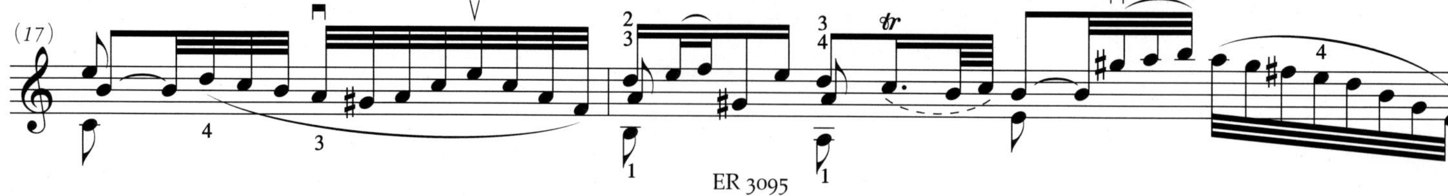

Fuga
piano
f
p

piano
piano

resta

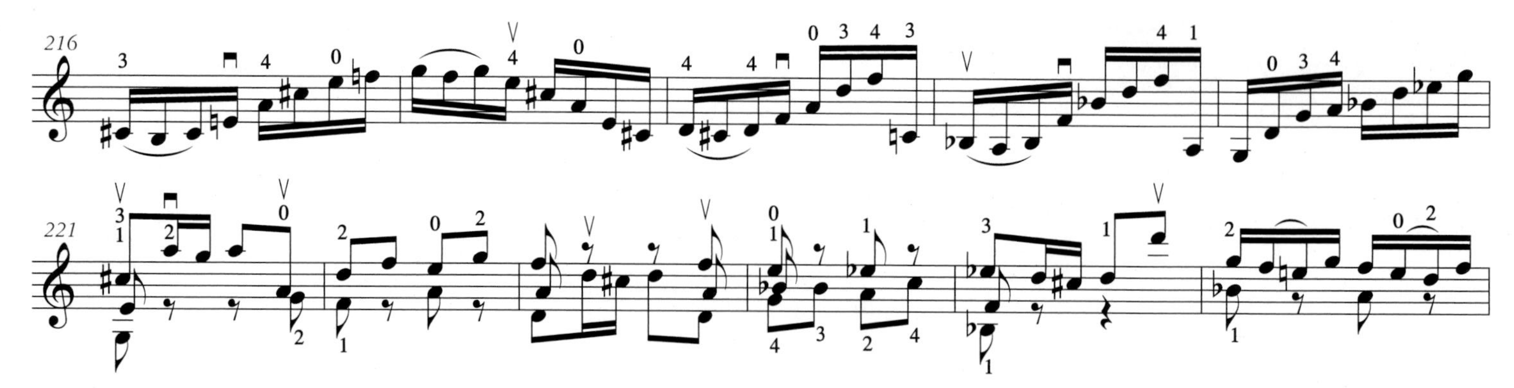

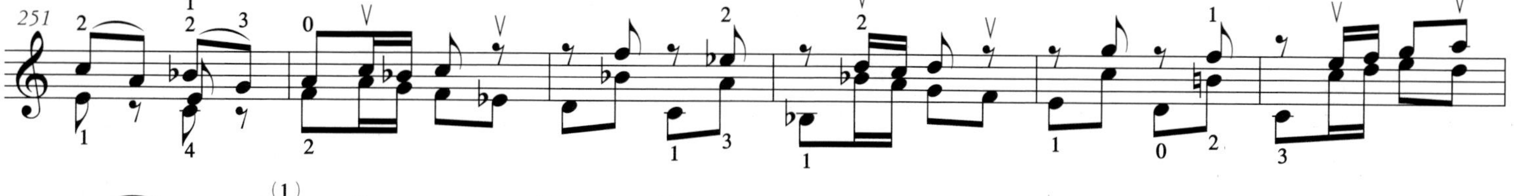

Andante

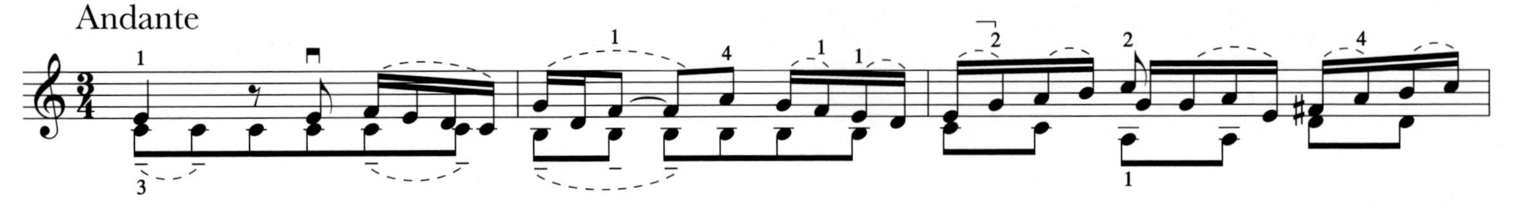

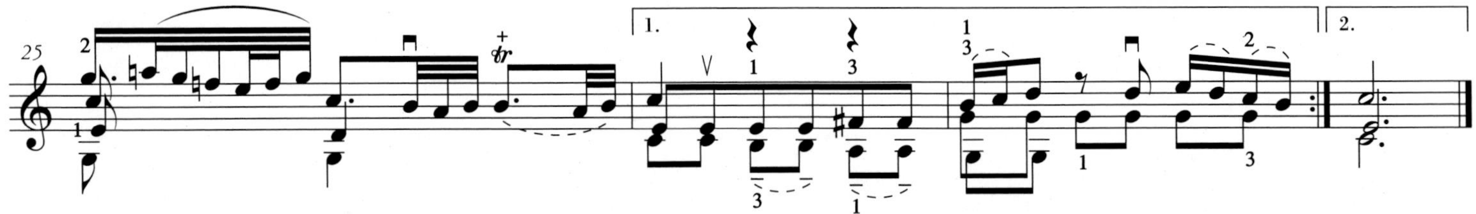

Allegro

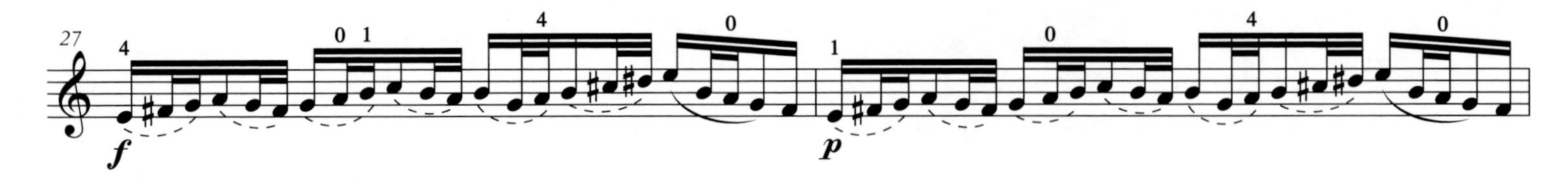

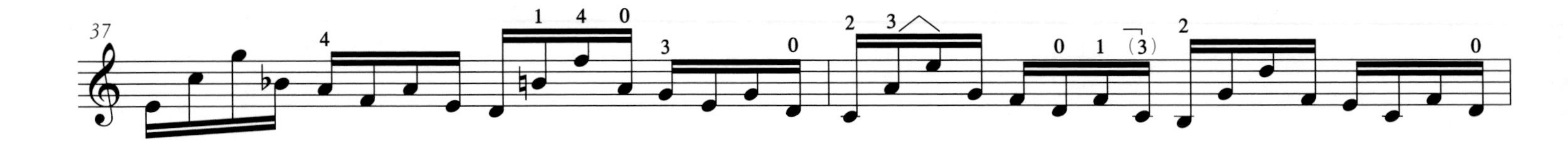

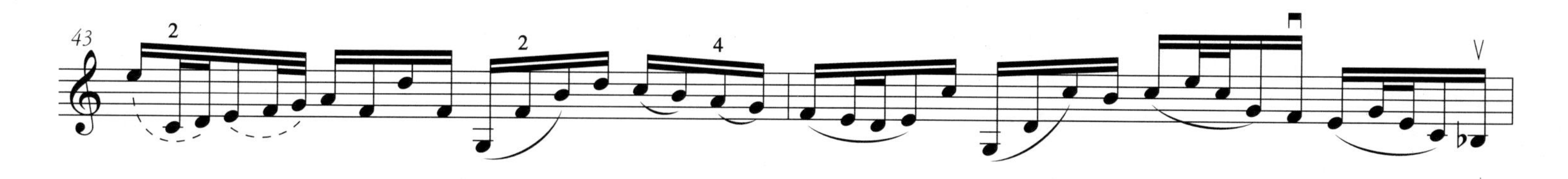

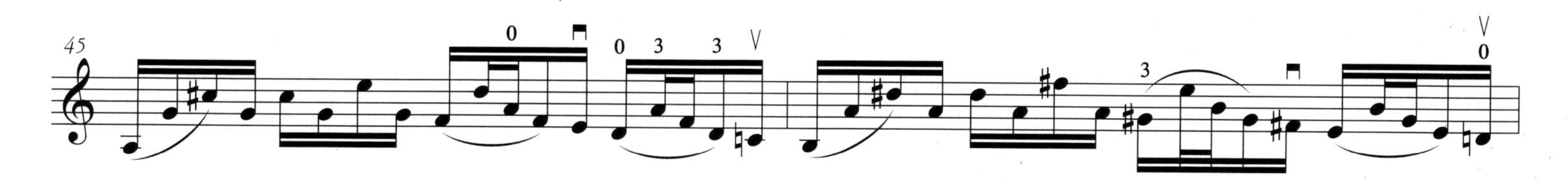

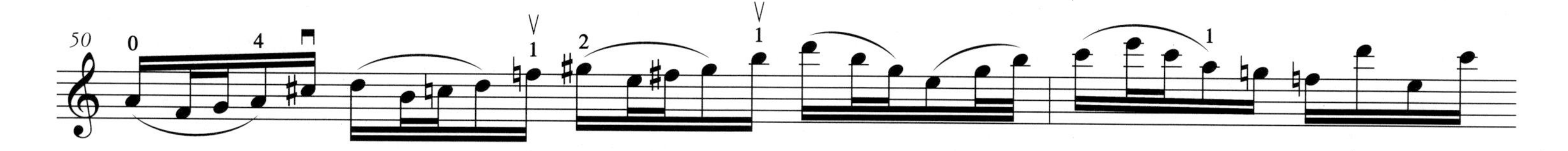

piano

Partita II

BWV 1004

Allemanda

Corrente

Sarabanda

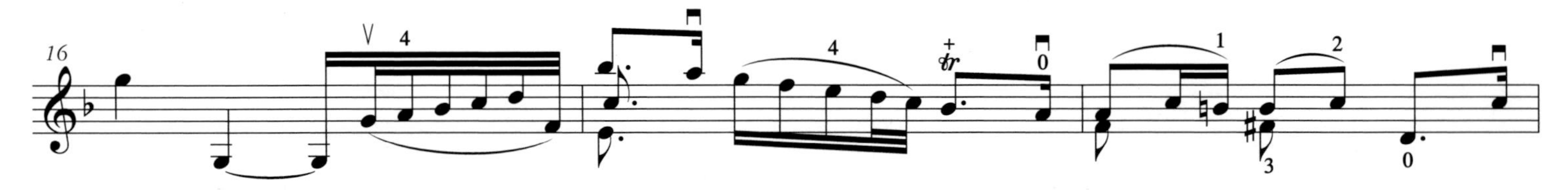

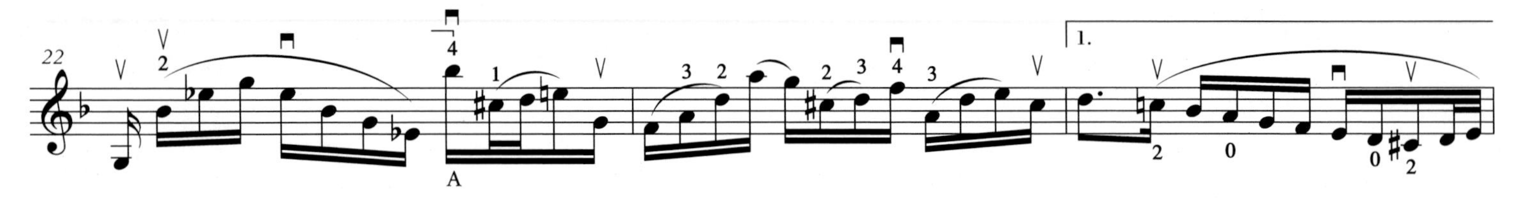

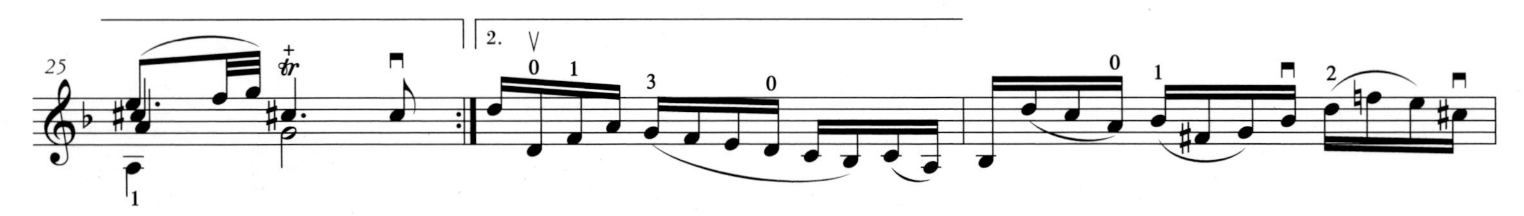

Giga

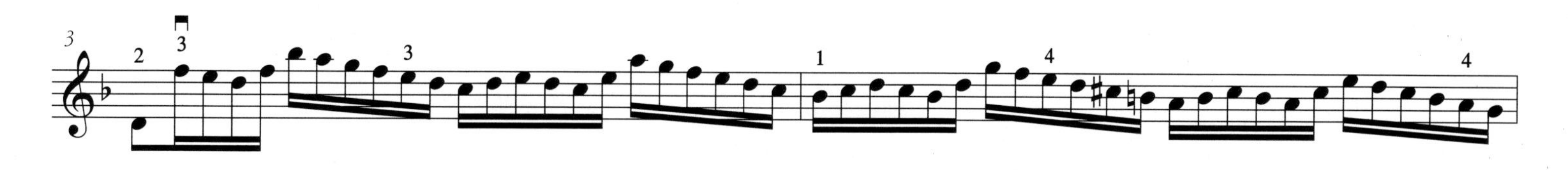

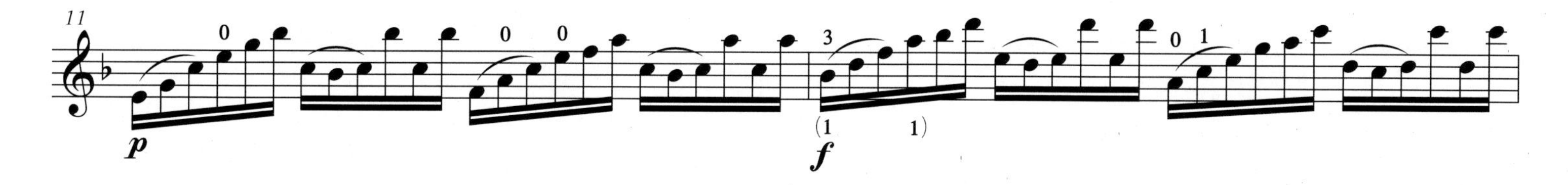

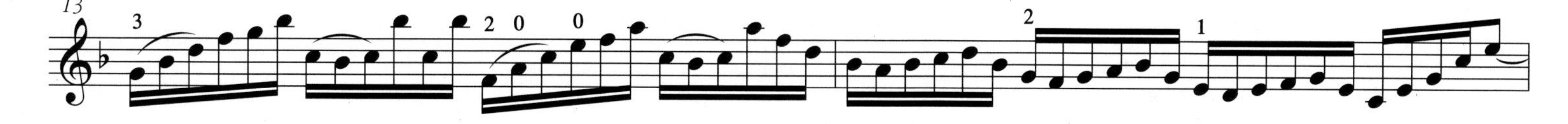

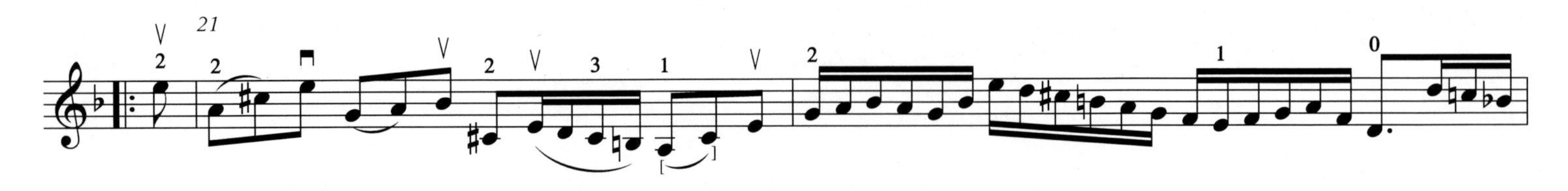

Ciaccona

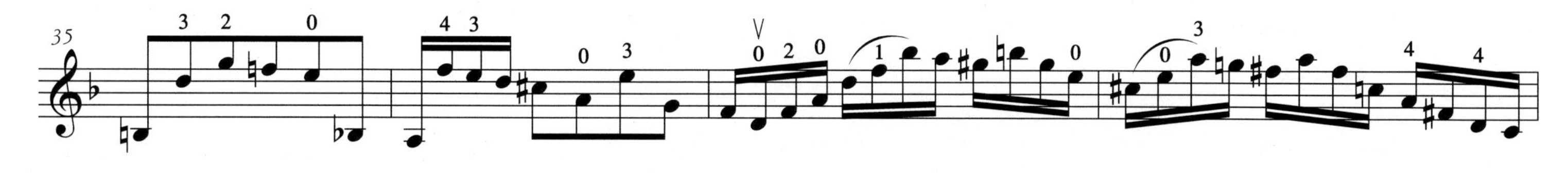

(V ⊓ V ecc.)
(V ⊓ V ecc.)

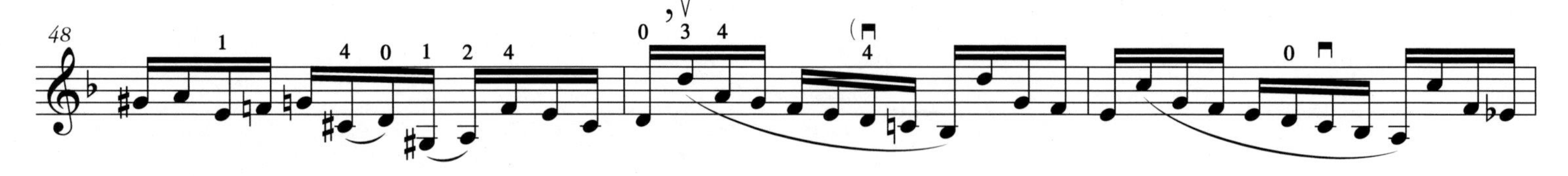

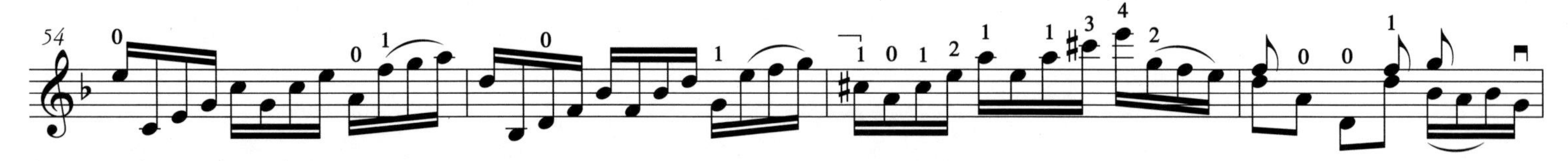

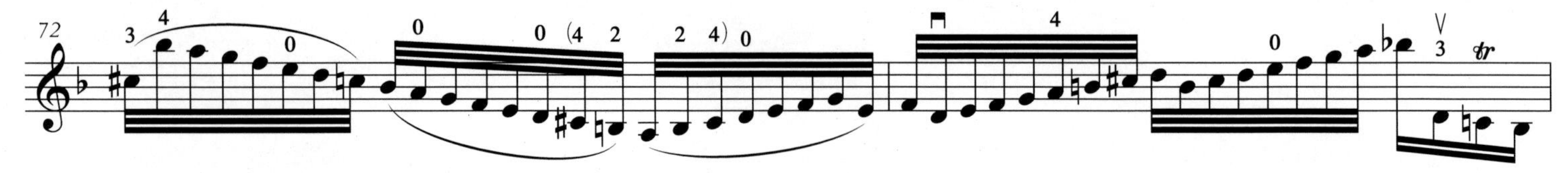

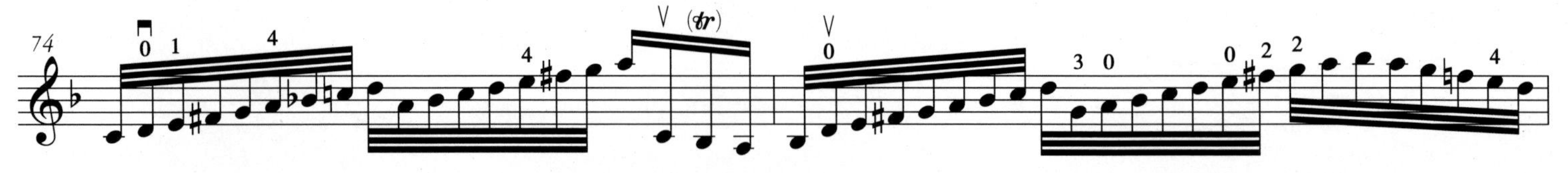

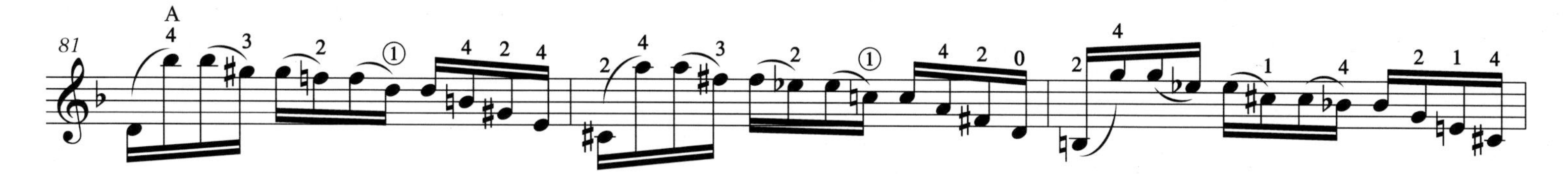
A

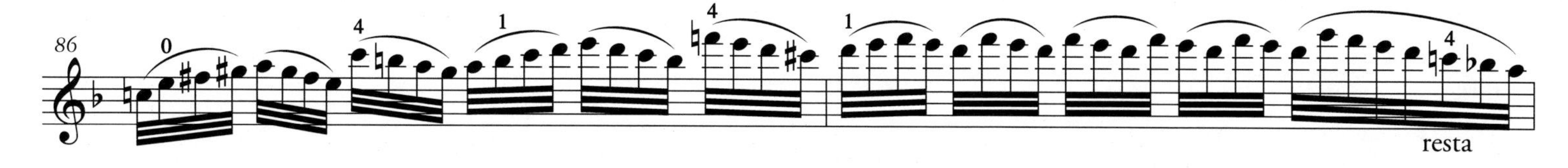
resta

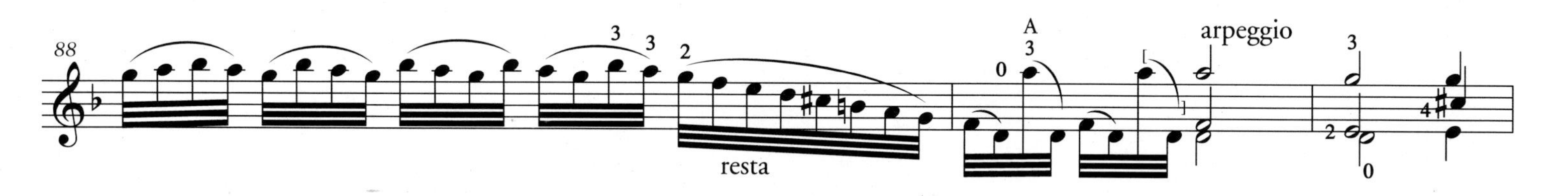
resta
A
arpeggio

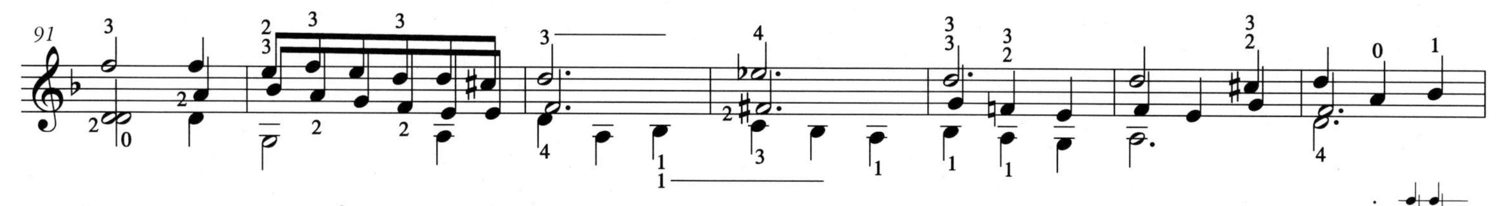

ossia:

ossia:

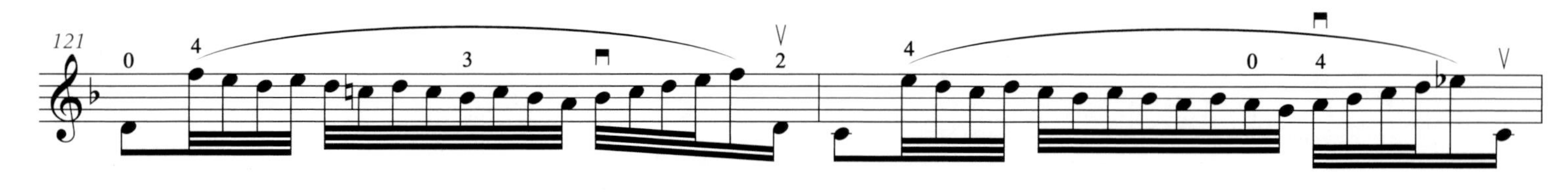

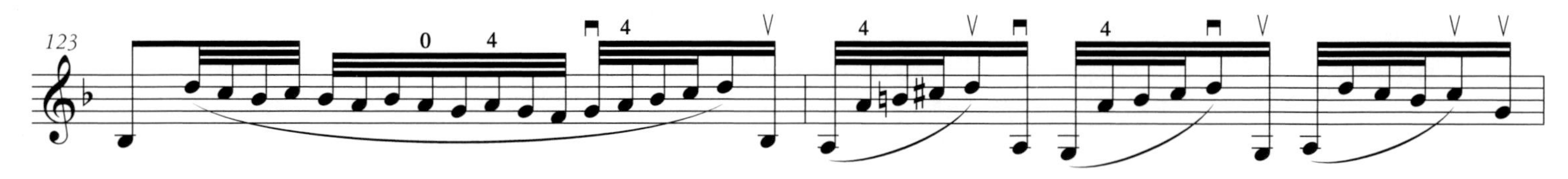

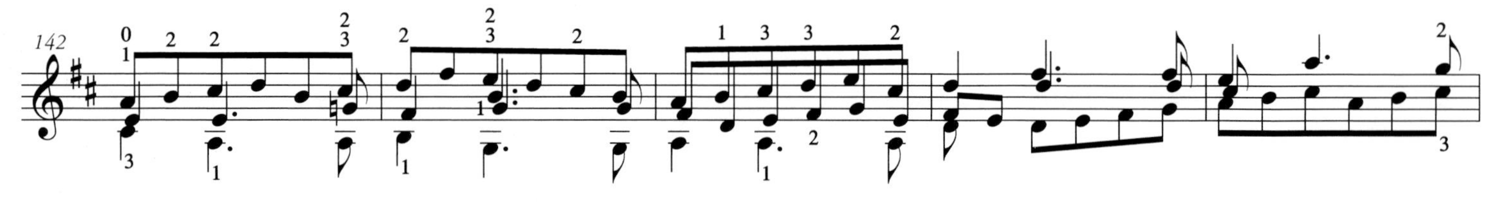

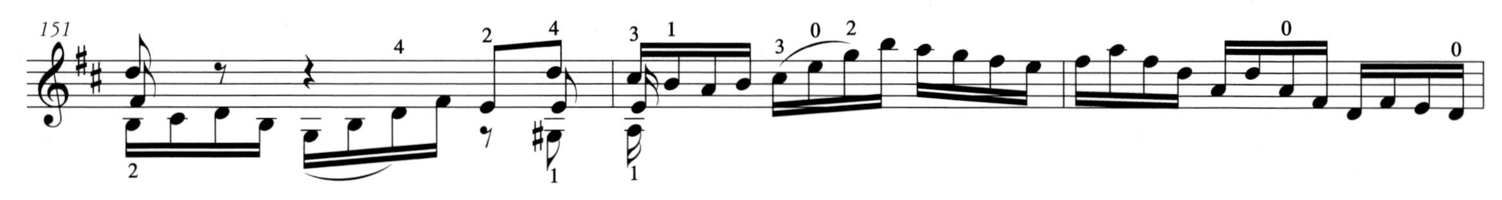

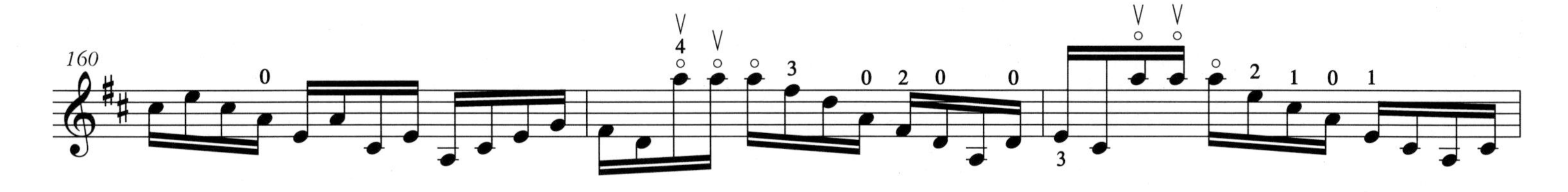

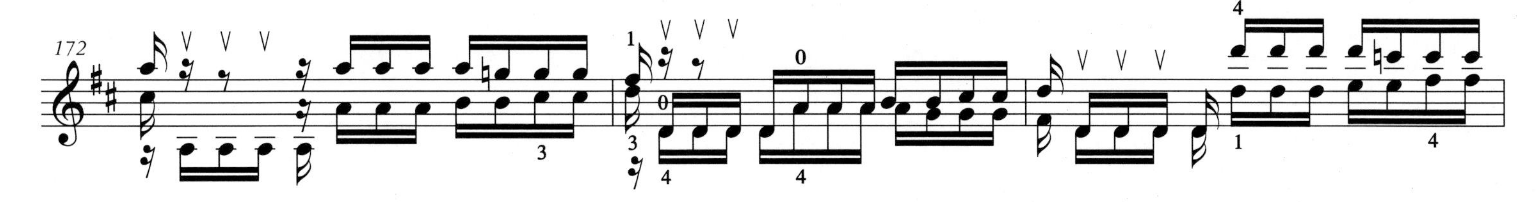

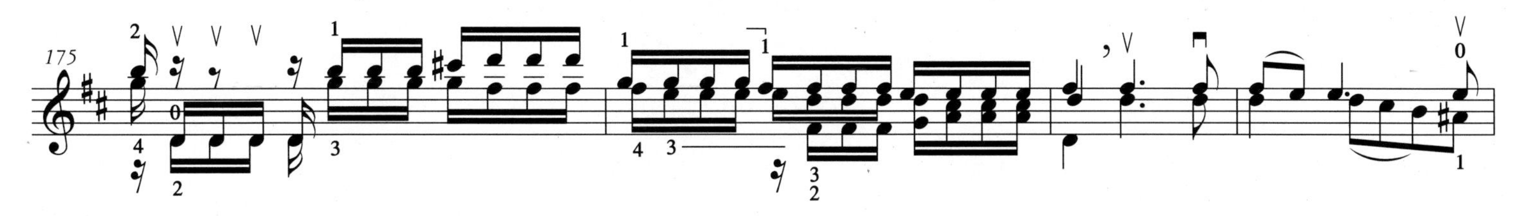

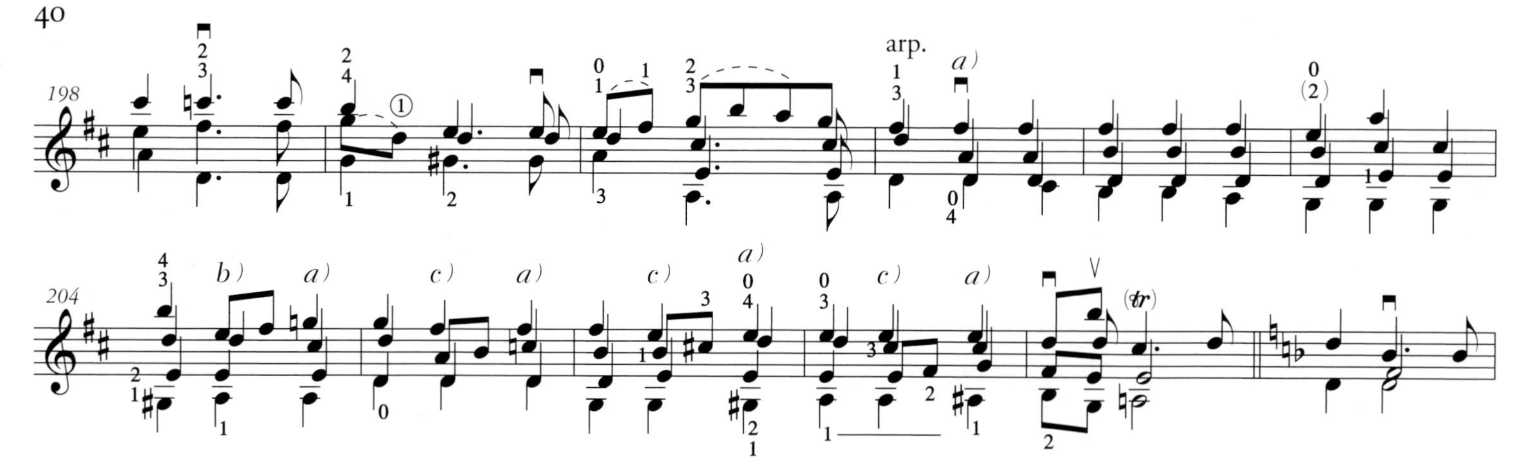
arp.

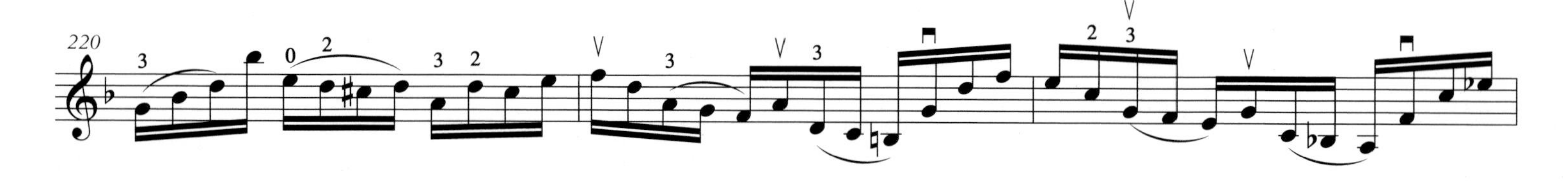

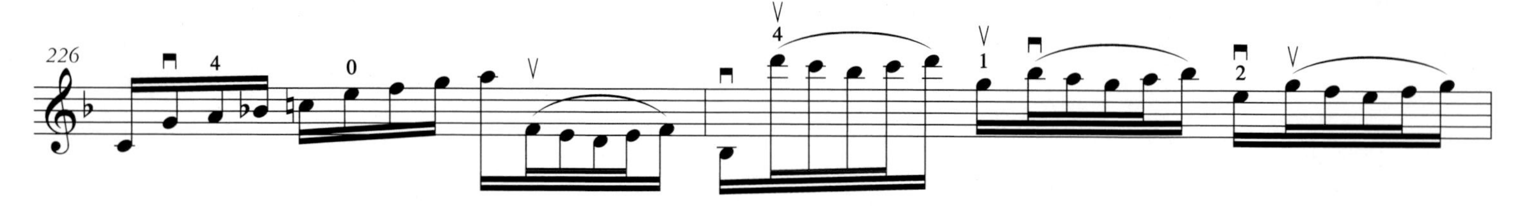

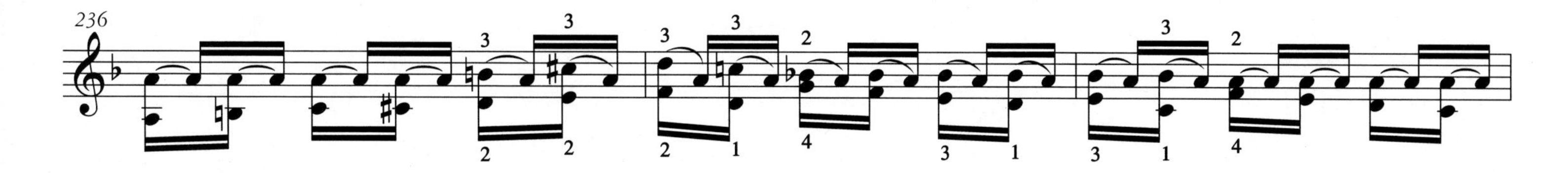

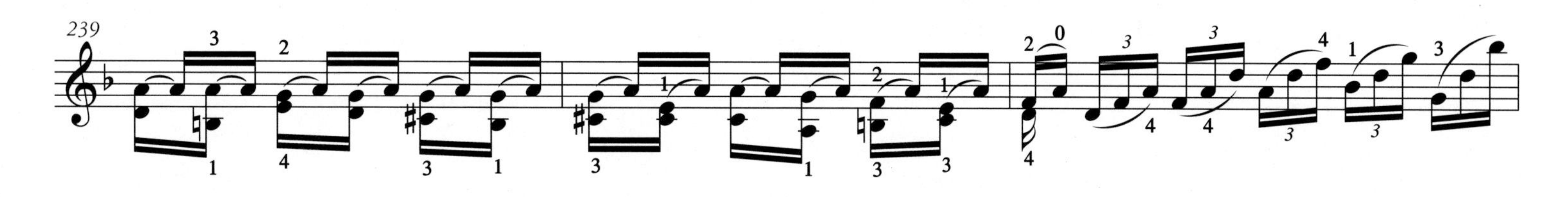

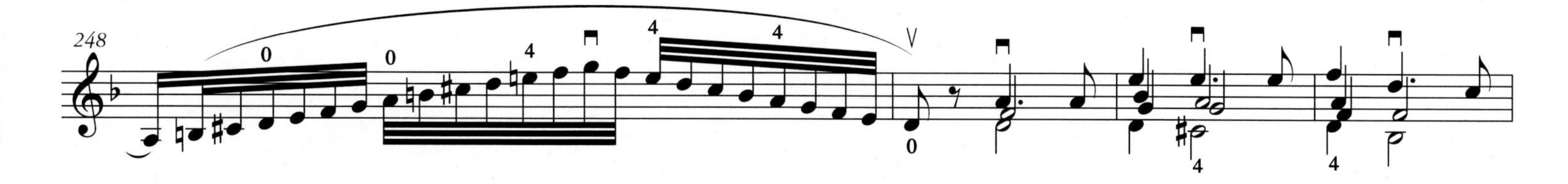

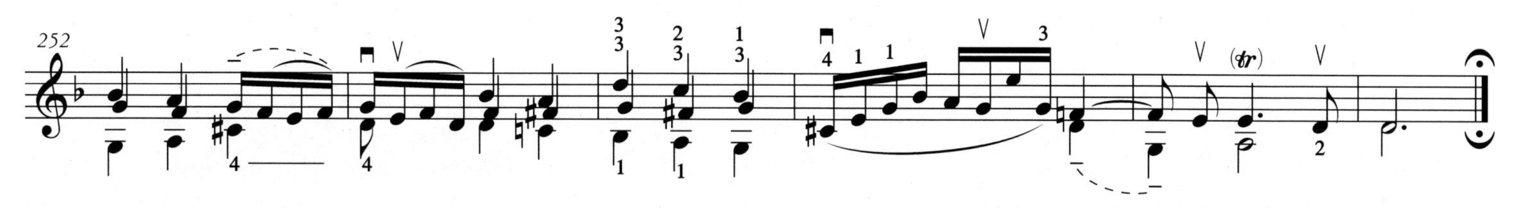

Sonata III

BWV 1005

Fuga

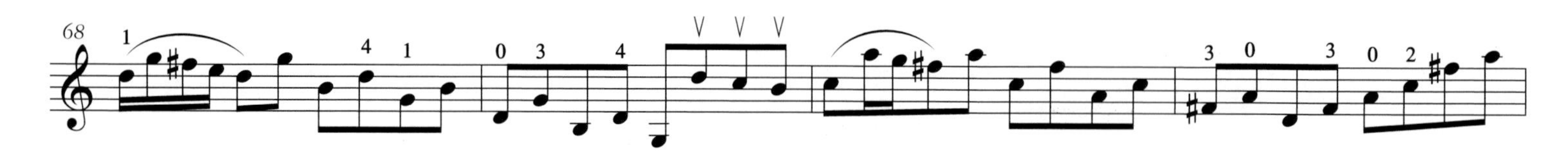

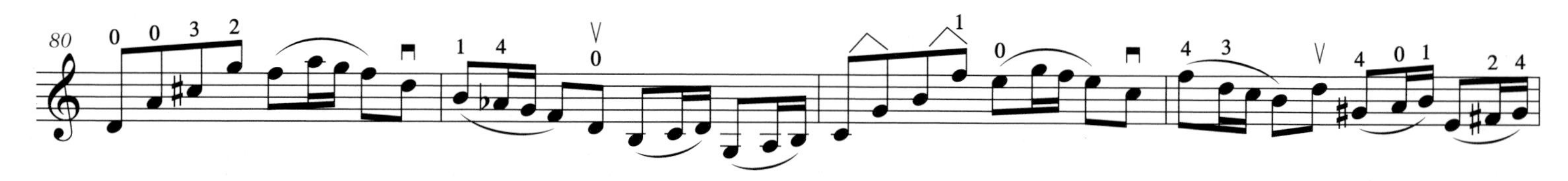

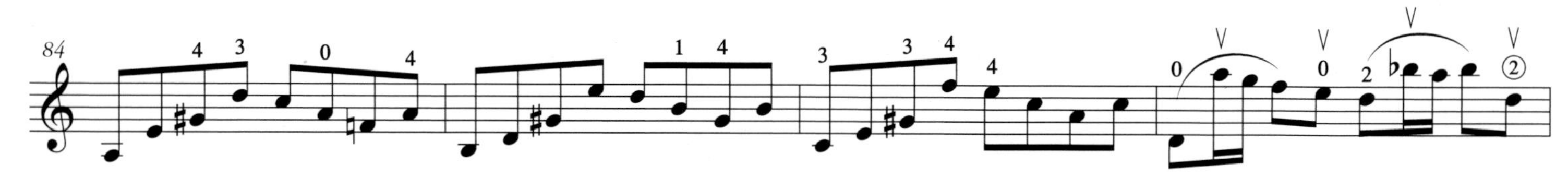

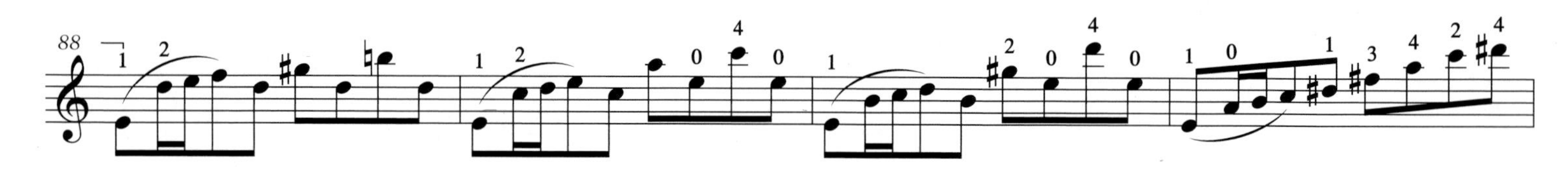

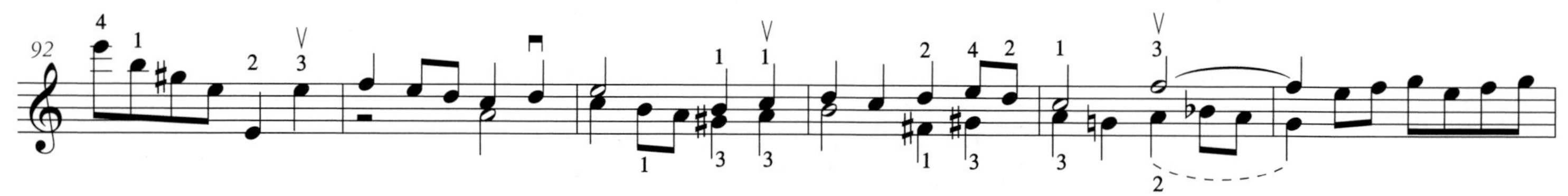

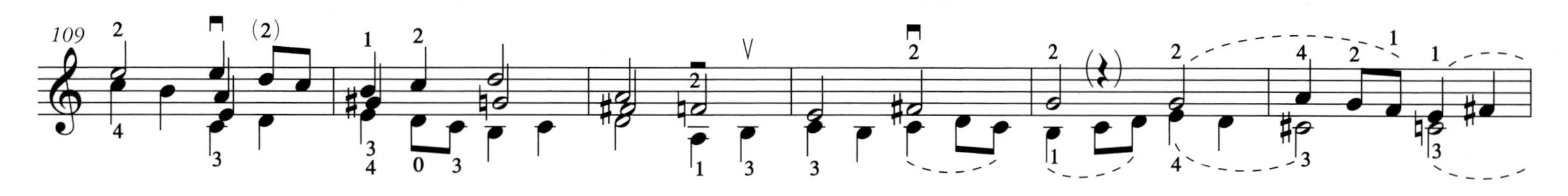

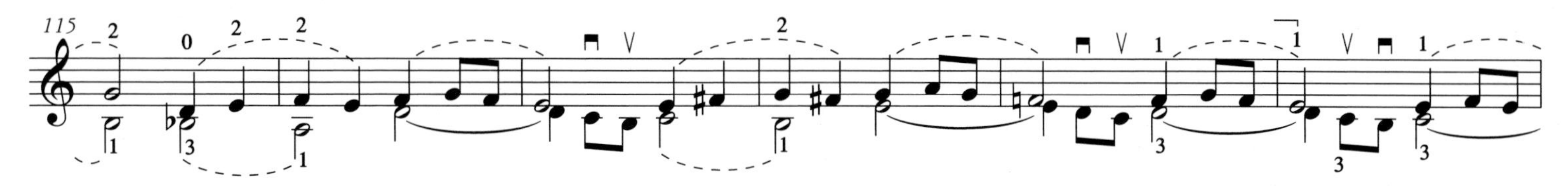

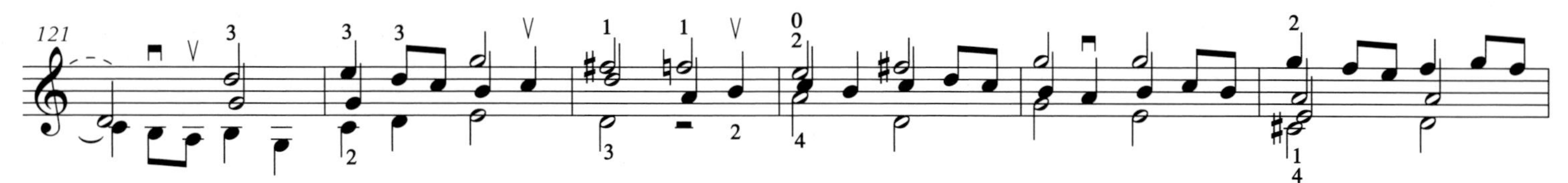

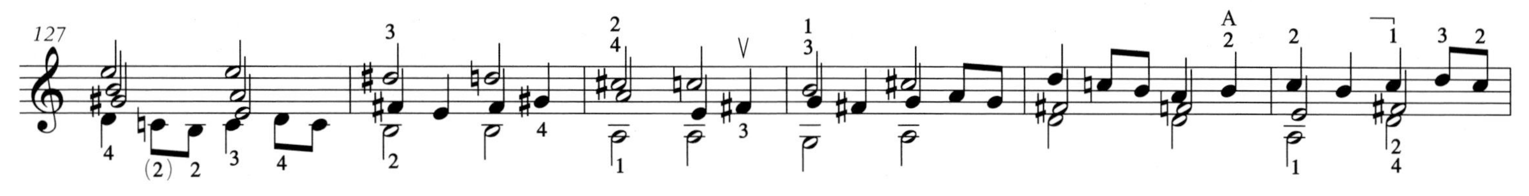

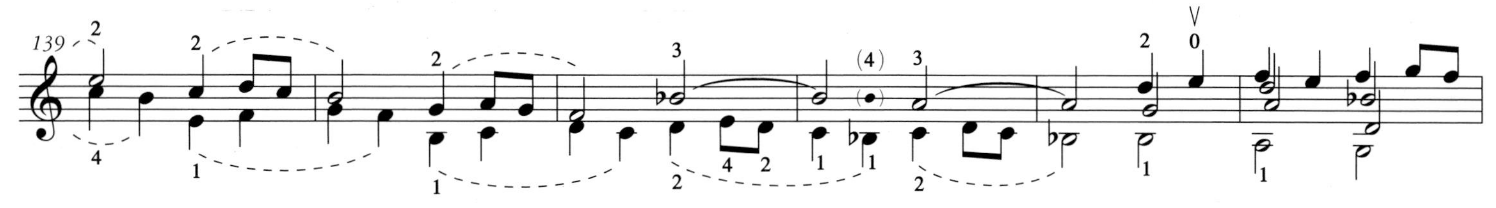

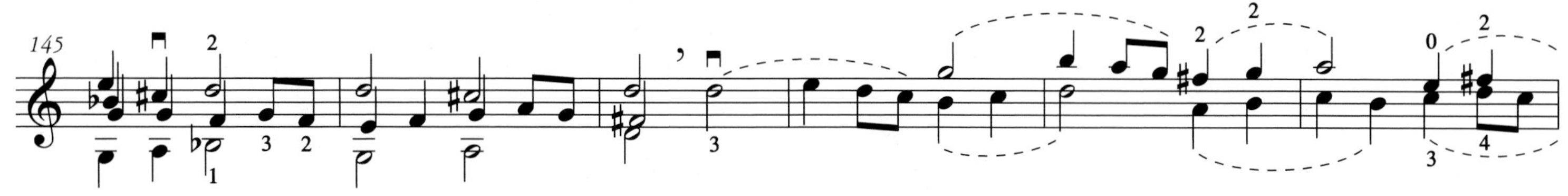

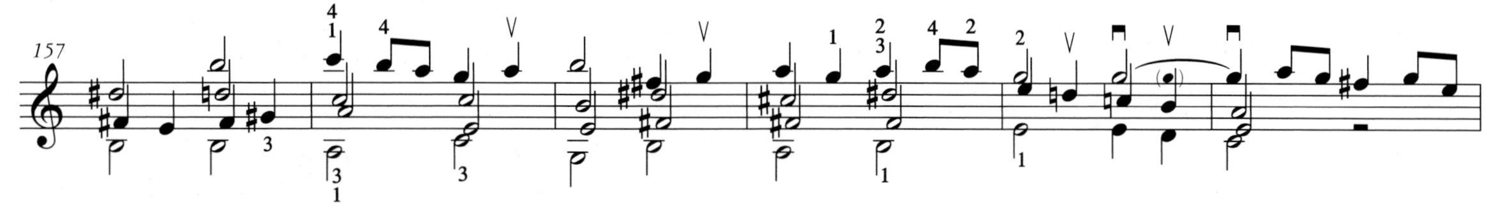

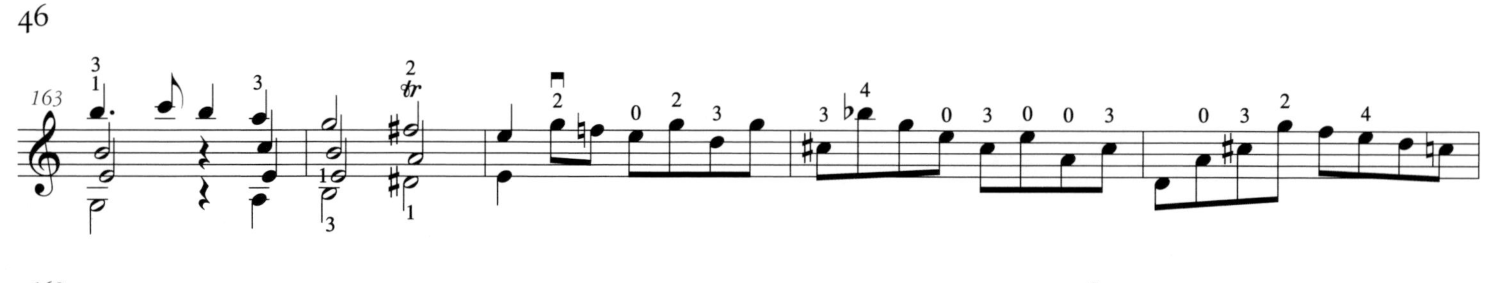

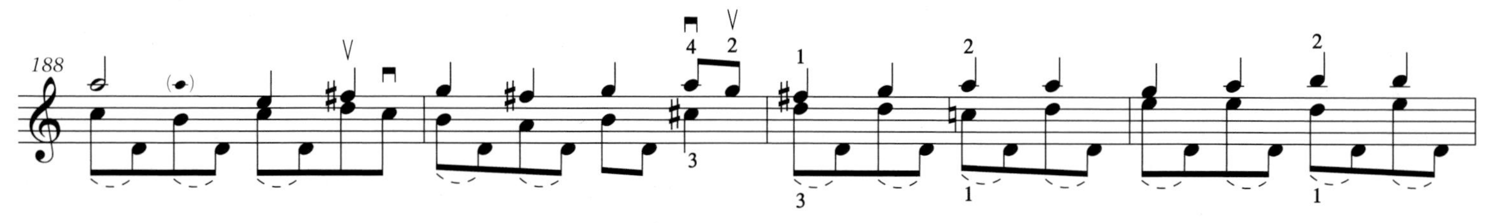

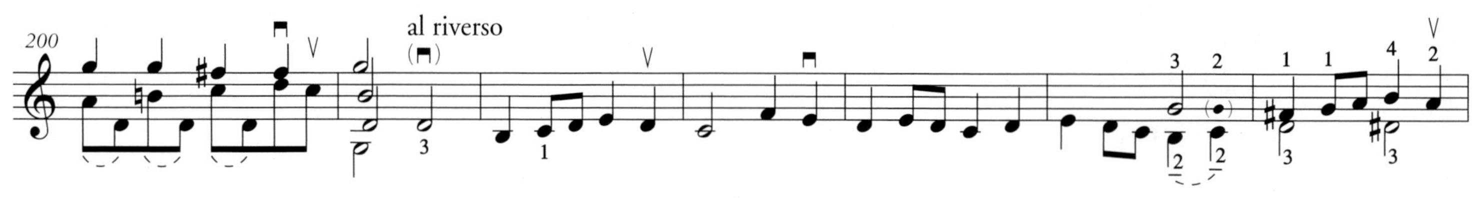
al riverso

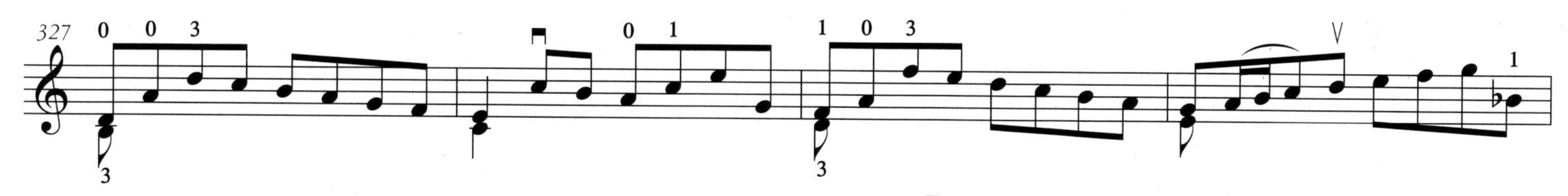

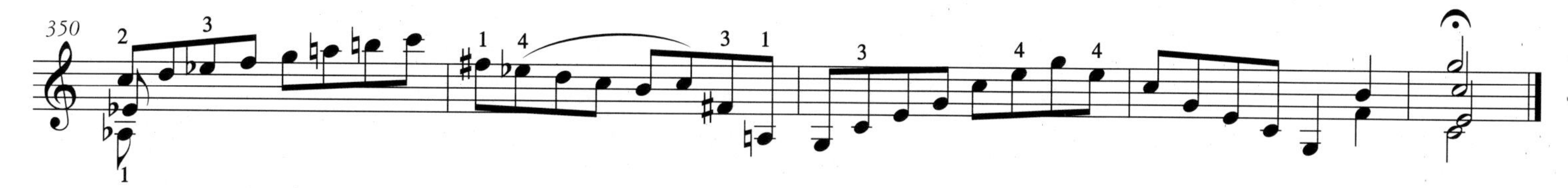

Largo

Allegro assai

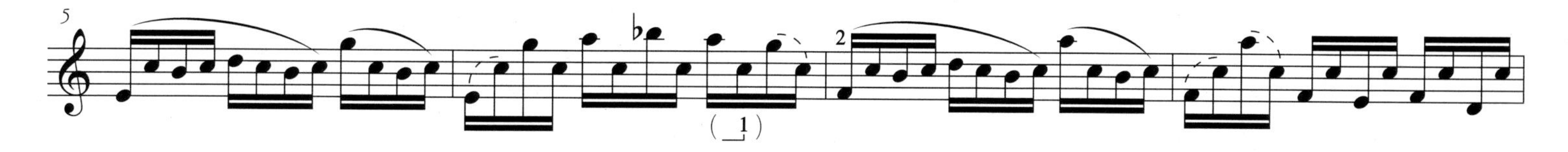

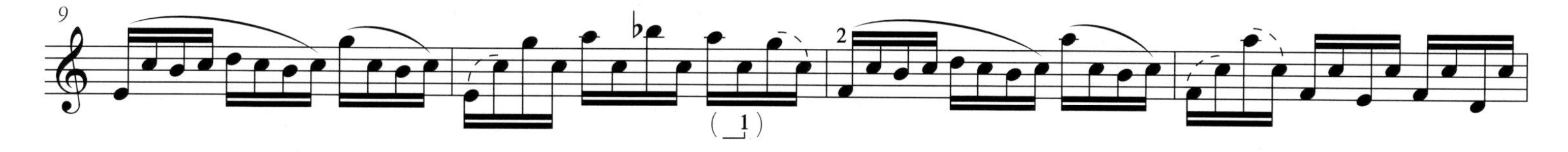

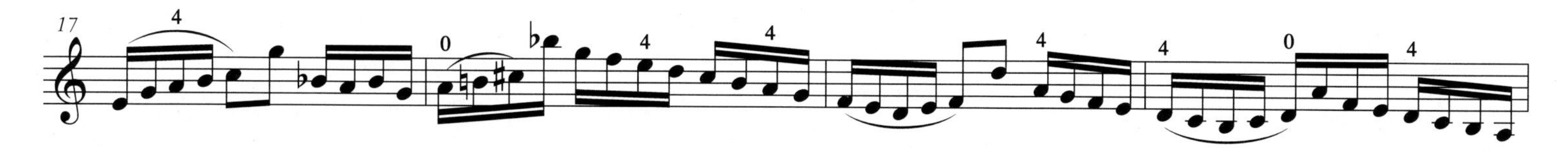

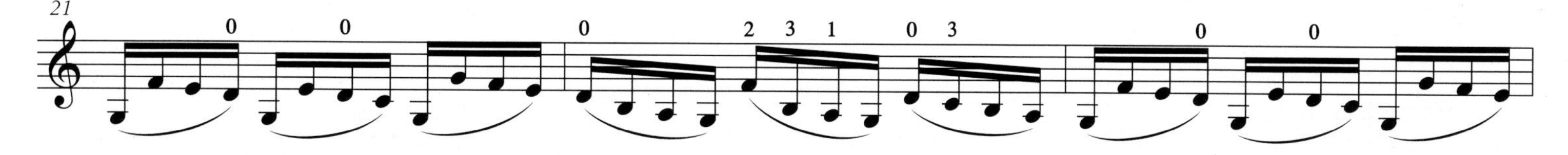

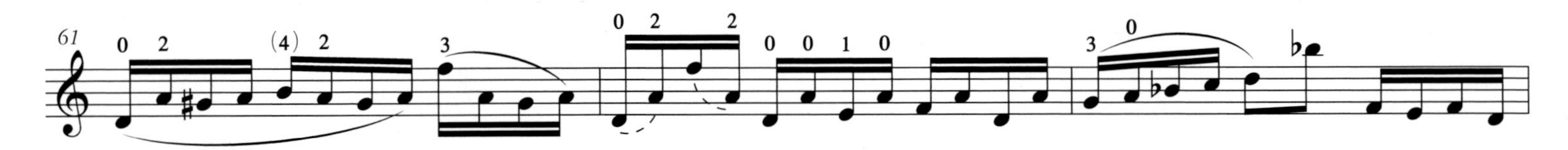

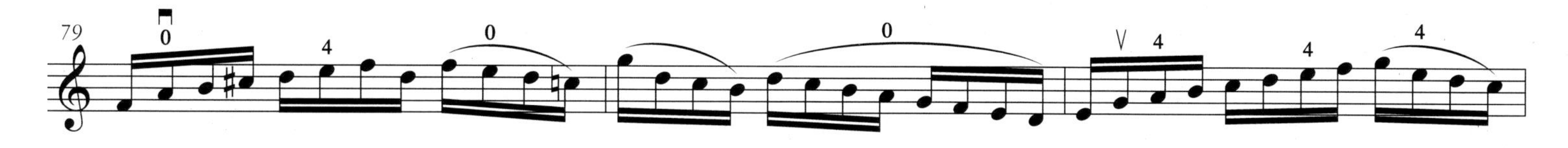

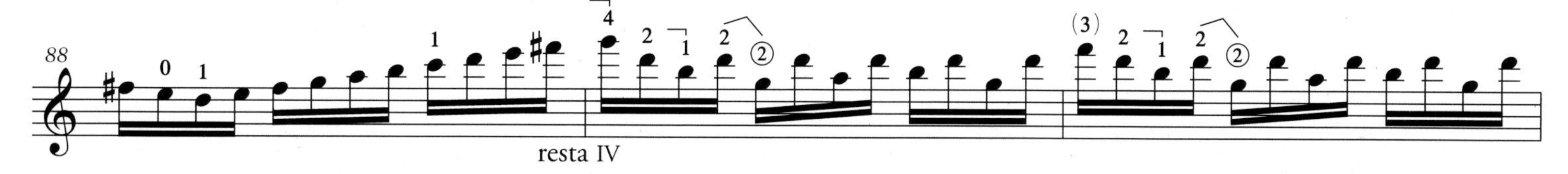
resta IV

resta V

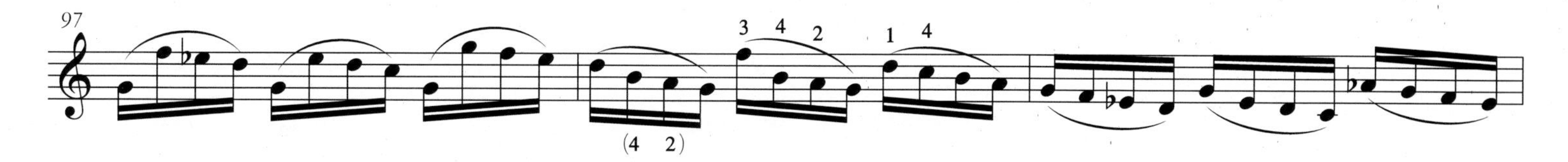

Partita III

BWV 1006

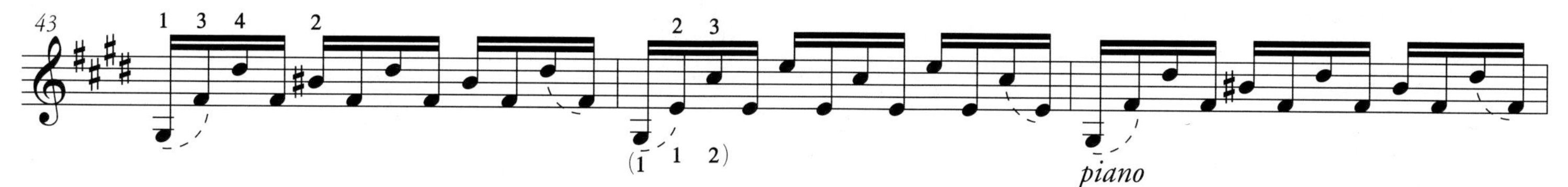
piano

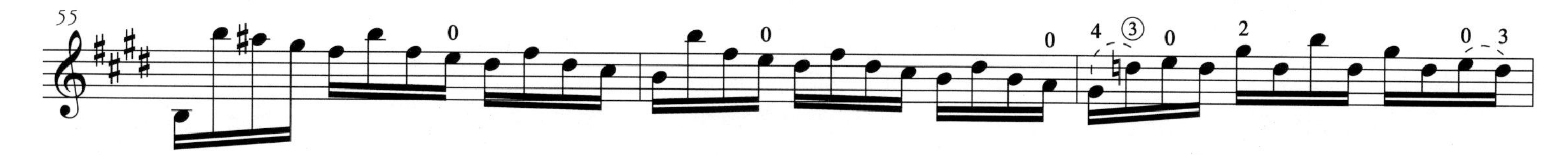

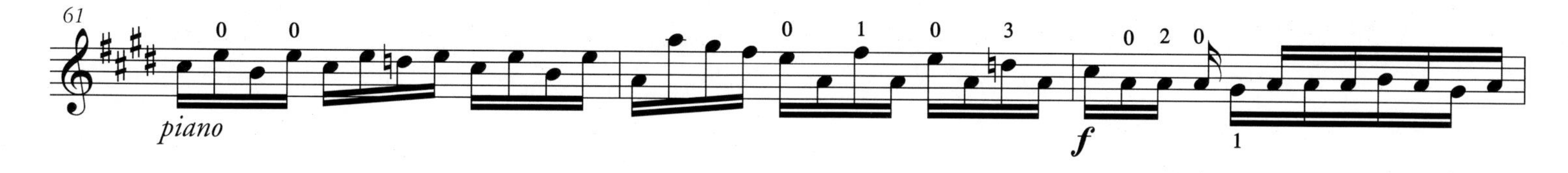
piano

piano
resta
D
G

Loure
I pos.
resta
Gavotte en Rondeaux

Menuet 1re
m.s.

Menuet 2de
m.s.
Bourée
p
f
piano
[f]

Gigue

NOTE CRITICHE

Sonata in Sol minore BWV 1001

Adagio

3 È un caso su cui si è accesa la discussione.

In questa singola battuta le alterazioni sono segnate così come in **B** e **AM**, perché sia chiaro ciò di cui si sta parlando. Manca il bemolle al *mi* sul quinto ottavo, e in tutte le edizioni è stato aggiunto. Potrebbe essere che a Bach sia sfuggito perché lo considerava ovvio, che lo leggesse inconsciamente anche se non lo aveva scritto, ma qualche interprete ha iniziato a suonare *mi*♮, così com'è alla lettera, ed è sensato farlo se si legge la voce inferiore *re-mi*♮*-fa*♯*-sol* come parte della scala melodica ascendente, e il *mi*♭ nella voce superiore entro il terzo quarto come parte della scala melodica discendente o come nota di volta.

Per Bach le alterazioni valgono solo per la nota a cui sono riferite. **B** e **AM** segnano scrupolosamente tutti gli altri bemolle ai *mi* di questa battuta: a entrambi i *mi*⁴ e più avanti anche a *mi*³, dunque sulla stessa linea di quello di cui stiamo discutendo.

In **D** e **S** è *mi*♭. Vedi anche 2 della *Fuga* e nota relativa.

Riguardo la maniera di annotare le alterazioni vedi note a 33 e 101 dell'*Allegro assai* della *Sonata* in Do maggiore, e nota a 84 del *Preludio* della *Partita* in Mi maggiore.

Inoltre, in **B** la terzultima nota è una biscroma, e le ultime due sono semibiscrome; in **AM** sono tutte e tre semibiscrome. La soluzione generalmente condivisa per far tornare i conti è dimezzare il valore delle ultime tre note di **B**, come è in **P 267** e come è in questa edizione. Michelangelo Abbado osserva che si potrebbe dimezzare il valore delle quattro note che precedono il trillo:

11 In **B** e **AM** manca la legatura sull'appoggiatura nel terzo quarto.

14 Ho sempre considerato che la cadenza a *do* sia da intendersi sul battere di 14, invece **S** prolunga la permanenza sulla dominante fino a metà di 15, una soluzione che suonando *a solo* non avrei mai immaginato:

17 Non è del tutto chiaro come intendere la legatura sul terzo quarto, che in **B** è segnata con due tratti che si uniscono su *la*♭⁴, mentre in **AM** sono effettivamente segnate due distinte legature.

19 La legatura sulle prime quattro note è in **B**, assente in **AM** e **BG**.

21 Secondo quarto, la divisione è da intendersi come segue:

Inoltre, la terzultima nota della battuta è una biscroma, sia in **B** che in **AM**. **P 267** ha la divisione corretta, che è anche in questa edizione.

Fuga

Di questa *Fuga* esistono due trascrizioni, una per organo in Re minore BWV 539, la cui autenticità non è accertata poiché non ne sono sopravvissute copie riconducibili all'ambiente familiare o alla cerchia degli allievi e collaboratori, e una seconda per liuto BWV 1000, che ci è pervenuta in una copia in intavolatura. Nessuna delle due è stata presa in considerazione come fonte secondaria.

1 Questa è la fisionomia che darei al soggetto della *Fuga*, da tenere presente anche per tutto il materiale che ne deriva:

2 Manca il bemolle a *mi*^{3}, terzultima nota della battuta, sia in **B** che in **AM**. Per **D** e **S** non è così ovvio che sia necessario, e nessuno dei due lo aggiunge. **J** legge la fonte senza bemolle, e lo aggiunge nella revisione.

Il *mi*♮ sarebbe un po' irrituale in una fuga, soprattutto all'inizio. Più avanti, a 15, abbiamo un modello a cui eventualmente rifarsi.

Forse è un caso simile a quello di 3 dell'*Adagio*, di alterazione mancante, che l'occhio non rileva perché la mente la dà per scontata, ma anche **BG** conserva un dubbio e suggerisce il bemolle fuori dal rigo, come è in questa edizione.

12 Mancano le ultime due legature, anche in **AM**.

15-16 Quella segnata con legatura tratteggiata è una soluzione tecnica senza riscontri storici, pensata perché il *re*^{5} vada ad appoggiarsi sul battere con una piccola messa di voce, e sia conservata la fisionomia delle crome nella voce inferiore. Il gioco d'arco che lo permette è lo stesso che consente di tenere il canto e ribattere l'accompagnamento lungo tutto l'*Andante* della *Sonata* in La minore.

D aveva risolto la questione come segue, senza vedere il *re* tenuto nemmeno nella fonte, segnata nel rigo inferiore:

J recupera il *re* tenuto, fa sua la distribuzione dell'arco di **D** nelle semicrome della voce inferiore a 16, e descrive con molta chiarezza il gioco d'arco di cui stiamo parlando:

Idem a 17-18. Riguardo **D** e **J** vedi Prefazione.

20 È uno di quei casi in cui è lecito chiedersi se gli accordi non andrebbero rovesciati, vedi paragrafo sulla polifonia nelle Note per l'esecuzione. Se si decidesse per il sì, sarebbe logico farlo fino alla quinta croma di 21:

Altrove il revisore ha effettivamente suggerito di rovesciare gli accordi. Quando si inverte il senso di un accordo è necessario rivalutare anche la diteggiatura, perché la sequenza dei gesti violinistici cambia. Vedi nota a 273 della *Fuga* della *Sonata* in La minore BWV 1003.

34 Manca la legatura tra le prime due note; è presente in **AM**.

35 Manca un'indicazione su come realizzare il passo, un modello in *arpeggio*, sul tipo di quella che si trova a 89 della *Ciaccona* della *Partita* in Re minore.

I violinisti russi della generazione di David Ojstrach suonavano semplicemente com'è scritto: tricordo a metà di 35 poi tre crome singole e così via, tranne nella seconda metà di 36, dove suonavano quattro tricordi. Già **D** propone una realizzazione, vedi Appendice 1.

La mia proposta è in calce alla pagina.

59 Manca la legatura tra *do* e *sol*, le ultime due note nella voce superiore, sia in **B** che in **AM**.

60 Manca la legatura tra *sol* e *re*, sestultima e quintultima nota, sia in **B** che in **AM**.

83 Non c'è legatura tra le prime due semicrome, né in B né in **AM**.

Siciliana

1 Riguardo la diteggiatura, l'estensione tra secondo e terzo dito vale per tutti i casi analoghi.

Per quanto possa sembrare strano, ho notato tante volte che l'eseguire le prime tre note con la mano aperta – così come ho suggerito – facilita il movimento del quarto dito per il *mi*♭. Vedi paragrafo su mano sinistra e diteggiature nelle Note per l'esecuzione.

4 Mi sembra irrinunciabile tenere il *si* basso, a metà battuta, *idem* a 19. Osserva la durata: se si rimanesse sul *si* in seconda corda si dovrebbe osservare una pausa che non è nella musica.

Vedi anche nota a 13 e nota a 10 della *Ciaccona* della *Partita* in Re minore.

5 Manca la legatura tra *la*^{4} e *sol*^{4}, settima e ottava croma della battuta, anche in **AM**, ma l'assenza in **AM** è poco significativa poiché in questo movimento ne mancano molte altre, a cominciare da quella tra *si*♭^{4} e *la*^{4} a 1.

Vedi anche nota a 11.

6 In **B** l'ultimo *mi*[4] della battuta non porta alterazioni, nemmeno in **AM**, e a ragionare secondo regole attuali si troverebbe sotto l'effetto del bemolle segnato sul *mi* precedente, anche se quest'ultimo è nella voce inferiore. Nota che sia **B** che **AM** segnano il diesis al *fa* immediatamente precedente al *mi* di cui parliamo, dopo che lo avevano già segnato sul secondo ottavo della battuta. Per loro il *mi* in questione è certamente bequadro.

D, **S** e anche **J** non aggiungono il bequadro, evidentemente non disturbati dalla seconda eccedente che si produce.

Riguardo la maniera di annotare le alterazioni vedi nota a 1 dell'*Adagio* della *Sonata* in Sol minore BWV 1001.

7 Il punto sulla quarta nota è in **B**, manca in **AM**.

Inoltre, la legatura tratteggiata tra settima e ottava croma della voce superiore è suggerita dal revisore sul modello di 5, che a sua volta si rifà a 1. Certo, così facendo si sacrifica la voce inferiore, che è tematica. L'unica strada sarebbe di rovesciare l'accordo a metà battuta, tenere il basso, e andare a suonare il *do*[4] col gioco d'arco dell'*Andante* della *Sonata* in La minore, eseguito al contrario.

9 **D**, **S** e **J** aggiungono *fa♯* sull'ottava croma della battuta alla voce mediana, addirittura **D** lo segna anche nella fonte, come fosse scontato. Quel *fa♯* lo si è suonato fino a non molto tempo fa: è un piccolo segno della mutazione della percezione armonica lungo il corso degli anni.

11 La legatura tra *la♭*[4] e *sol*[4], settima e ottava croma della battuta, è l'unica che compare in tutto il passo, sia in **B** che in **AM**. Le altre sono state aggiunte per analogia, a partire da 9 fino a 11.

13 La pausa di semicroma nella voce superiore è, per come io la avverto, un potente gesto comunicativo, un'assenza che suona ancor più energica della presenza cui eravamo preparati. Non sempre le esecuzioni rendono giustizia alla scrittura.

D e **S** non "correggono", ma Hubay e Capet sì: entrambi tolgono la pausa e allungano il *mi♭*!

14 La seconda legatura manca sia in **B** che in **AM**; in **AM** manca anche la precedente ma ci sono le successive. Vedi nota a 5.

19 Come a 4, vedi nota.

20 I segni di arcata *in giù* e *in su* non sono a suggerire un'alternativa, o legato, seguendo la legatura tratteggiata, o slegato, come indicano i segni. Al contrario, le due indicazioni viaggiano insieme: in questo caso cambiare arco aiuta il *legato*, perché rende più puro l'effetto del movimento incrociato delle dita della mano sinistra.

Presto

La divisione delle battute è come in **B**. Né **AM** né **P 267** replicano questa particolarità. Vedi la *Corrente* della *Partita* in Si minore BWV 1002.

34-35 I trattini sono del revisore, non costituiscono un invito ad appoggiare le note a cui sono riferiti: si tratta solo di un segnale di attenzione, perché sia tenuta a mente la corretta divisione, senza falsi accenti.

Vedi anche 110 e seguenti.

53 Confronta con 135. Consiglio di suonare solo *la* vuoto, non doppia corda.

102 In **B** la legatura comprende cinque note, secondo me piuttosto chiaramente. In **AM** la legatura è meno chiara, e sembra comprenderne sei; molte edizioni si allineano a questa lettura. Anche in **P 267** sembra di leggere una legatura di cinque note.

D e **S** non vedono nessuna legatura, **J** vede una legatura di cinque note.

110-120 I trattini sono del revisore, vedi nota a 34-35.

118-120 A 118 in **B** la legatura sembra cominciare dalla terza nota, *do*, *idem* a 120, da *si♭*. Invece a 119 in **AM** la legatura inizia chiaramente dalla seconda nota, fino al battere successivo.

In **P 267** si trova la distribuzione dell'arco adottata in questa edizione.

Partita in Si minore BWV 1002

Allemanda

In **AM** è "Allemande". In **P 267** è *Allemanda*. Vedi anche i titoli delle singole danze nelle altre *Partite*.

1 In **B** manca il punto di valore al *fa*⁴ a metà battuta. In **AM** manca anche al *la*♯. Sono piccole lacune che si ripetono a 4 e a 15. Vedi nota a 10 della *Ciaccona* della *Partita* in Re minore BWV 1004.

4 *Si*³, ultima nota del secondo quarto, in **B** e **AM** è una semicroma, nonostante la pausa precedente abbia il punto. Qui è stato corretta in biscroma come la voce a cui è sovrapposta.

Osserva inoltre la diversa durata tra la voce superiore e le tre inferiori nell'accordo a metà battuta, anche in **AM**. Vedi nota a 1.

5 Terzo quarto, la divisione è da intendersi come segue:

11 Terzo quarto, la divisione è da intendersi come segue:

15 C'è discussione sull'ultimo *do* della battuta. Anche se compare un bequadro al *do* nella prima terzina, sappiamo che per Bach le alterazioni valgono solo per la nota a cui sono riferite, dunque i *do* seguenti, quelli che si trovano nella terza e nella quarta terzina, tornano a essere sotto l'influenza dell'armatura di chiave e sono sicuramente diesis. Il diesis nella terza terzina non è in discussione ma qui è tra parentesi perché in questa singola battuta le alterazioni compaiono come in **B** e **AM**, perché sia chiaro ciò di cui si sta parlando. Nota anche che **B** segna *re*♯ due volte, e naturalmente **AM** fa altrettanto.

Né **B** né **AM** segnano un bequadro al *do* di cui stiamo parlando, la quartultima nota della battuta, dunque non dovremmo avere dubbi che intendano *do*♯; confronta però col secondo quarto di 9 del *Grave* della *Sonata* in La minore BWV 1003, una situazione quasi identica, che alcuni revisori prendono a modello.

Può essere interessante notare che **D**, **J** e Hubay si schierano per *do*♮. Per **BG** è *do*♯.

16 Riguardo la diteggiatura, suggerisco di suonare il *la* con la corda vuota, e poi posare secondo e terzo dito per *mi* e *do*, anche se così facendo il tricordo è distribuito solo su due corde. È perché la corda vuota ha una luminosità e una castità di suono che qui sembrano adatte alla situazione espressiva.

18 Primo quarto, la divisione è da intendersi come segue:

21 Primo quarto, la divisione è da intendersi come segue:

Inoltre, quarto quarto: manca la legatura sulla terzina.

23 *Mi*³, penultima nota della voce inferiore, in **B** e **AM** è una semicroma. Qui è stata corretta in biscroma come la voce a cui è sottoposta.

24 La pausa di semicroma è aggiunta, manca anche in **AM**. Vedi nota a 80 della *Corrente*, e note a 16 e 32 dell'*Allemanda* della *Partita* in Re minore.

Double dell'Allemanda

23 Non c'è legatura tra le note 3 e 4, **AM** la aggiunge. Confronta con 11.

D legge nella fonte tre note legate, da nota 1 a 3, poi cinque note senza legature; lo stesso fa **S**. **J** legge correttamente la fonte.

Corrente

In **AM** è "Correnta". In **P 267** è *Corrente*.

La divisione delle battute è come in **B**. Né **AM** né **P 267** replicano questa particolarità. Vedi *Presto* della *Sonata* in Sol minore BWV 1001.

10 **D** e **S** leggono le ultime tre note *mi-re-do*♯.

23 Per una piccola storia della percezione dell'armonia: la quarta nota è *do*♯, anche in **AM**, per effetto dell'armatura di chiave. **D** legge *do*♮ anche nella fonte, tanto ovvio gli sembra, e anche per **S** è *do*♮. **J** legge correttamente *do*♯.

80 La pausa di croma è aggiunta, manca anche in **AM**. Vedi nota a 24 dell'*Allemanda*, e note a 16 e 32 dell'*Allemanda* della *Partita* in Re minore.

Double della Corrente

33 Ancora a proposito dei mutamenti della percezione armonica nel corso del tempo: nell'ultimo quarto per **S** è *sol*♮, per **D** *sol* e *la* bequadro!

72 La seconda nota è *sol* in **B** e **AM**, e anche in **P 267**. **D** e **S** la correggono in *fa*♯; **D** e **J** leggono *fa*♯ anche nella fonte.

Double della Sarabanda

8 Manca il punto a prolungare il valore dell'ultima nota la seconda volta, anche in **AM**, come se il movimento fosse pensato in terzine. Vedi nota a 49 della *Corrente* della *Partita* in Re minore BWV 1004.

15 **D** e **S** leggono *mi*^{4} la penultima nota della battuta.

32 Come a 8, vedi nota.

Tempo di Borea

Il tempo in chiave è ¢, sia in **B** che in **AM**. In **P 267** è c. Vedi *Double* seguente e confronta con nota a 1 dell'*Allegro* della *Sonata* in La minore BWV 1003.

Double del Tempo di Borea

Il tempo in chiave è ¢, sia in **B** che in **AM**, e anche in **P 267**. Vedi nota precedente.

Sonata in La minore BWV 1003

Di questa *Sonata* esiste una trascrizione per cembalo in Re minore, che ha numero di catalogo BWV 964. Non è di Bach ma la si trova nel secondo fascicolo del manoscritto **P 218**, che fu redatto dal copista Johann Christoph Altnickol (1719-1759) e fu in possesso di uno degli ultimi allievi, Johann Gottfried Müthel (1728-1788). Si tratta quindi di un testimone proveniente dalla cerchia degli allievi e collaboratori di Bach, dunque certamente degno di essere ascoltato.

Quello stesso fascicolo contiene anche l'*Adagio* in Sol maggiore BWV 968, vedi *Sonata* in Do maggiore BWV 1005.

Grave

5 La divisione è da intendersi come segue:

9 Una piccola curiosità storica. Come sempre, Bach intende che le alterazioni valgano solo per la nota a cui sono riferite. Dunque il *do* e il *re* contenuti nel secondo quarto tornano a ricadere sotto l'influenza dell'armatura di chiave e sono senz'altro bequadro. Se Bach avesse voluto *do*♯ e *re*♯ anche nel secondo quarto avrebbe semplicemente ripetuto le alterazioni.

P 218 dà conferma. Lì la linea di canto scende di un'ottava nel secondo quarto a partire dalla seconda nota – poiché si trasferisce alla mano sinistra –, così che anche in una lettura con regole attuali *fa* e *sol* – corrispondenti a *do* e *re* del violino – sono sottratti all'influenza delle alterazioni presenti nel primo quarto:

Confronta inoltre con quarto quarto di 15 nell'*Allemanda* della *Partita* in Si minore BWV 1002 e vedi nota relativa.

D e **S** leggono il passo secondo consuetudini moderne, in una maniera che ha comunque un suo sapore e una sua musicalità. La vedete qui nella versione di **S** con pianoforte:

22 Il segno posto sopra e sotto la prima sesta sta a indicare il vibrato, o il vibrato d'arco, prima del trillo su *re*♯. Una volta appresa l'informazione, i violinisti hanno imparato a darne un'esecuzione standardizzata, gelida, con la finzione puerile di esser stata eseguita come improvvisando: una fine triste per un momento magico.

Fuga

Nella trascrizione per cembalo è *Allegro*. L'indicazione non viene ripresa né da **D** né da **S**, né da altri in seguito.

1 Questa è la fisionomia che darei al soggetto della *Fuga*, da tenere presente anche per tutto il materiale che ne deriva:

2 Molti revisori suggeriscono di legare a due queste crome, ogni volta che compare il soggetto, quindi a 4, 8, 62, 64 ecc., sull'esempio di 126, 128, 249 e 251. In **P 218** queste legature non ci sono mai, anche se **BG** le segna sistematicamente. Trovo un po' contorto immaginare che un'indicazione data più avanti possa valere per qualcosa che accade già qui, all'inizio. Nemmeno **AM** le aggiunge. Non le avesse volute, cosa avrebbe dovuto fare Bach più che *non* scriverle?

55 In **B** l'accordo sul battere è un tetracordo *mi*^{3}-*sol*^{3}-*si*^{3}-*mi*^{4}, con *mi*^{3} scritto con molta evidenza, forse a correggere la presenza di un *sol*^{3} scappato per errore; in **AM** il tricordo è *sol*^{3}-*si*^{3}-*mi*^{4}. Il basso dell'accordo in **P 218** è *la* – come

fosse *mi* del violino. In **P 267** l'accordo è *mi*³-*si*³-*mi*⁴ come in questa edizione, e come è in **BG**.

Confronta con 47.

66 I segni di arcate *in giù* e *in su* sono a suggerire di adottare l'articolazione della battuta precedente e di quella seguente. Nella trascrizione per cembalo tutto il passo è senza legature. Vedi 41 del *Preludio* in Mi maggiore, e nota relativa.

138 Trovo un po' dimostrativo diteggiare col *mi* vuoto, per fare come a 2. *Mi* vuoto è ben diverso da *la* vuoto, qui il momento richiede semmai segretezza.

183 La sesta nota è *sol* in **B**, in **AM** è *la*. È *do* – come fosse *sol* del violino – in **P 218**. In **P 267** e in **BG** è *la*.

198 La nota centrale del tricordo a metà battuta è *sol*. Spesso i violinisti preferiscono suonare *fa*, ma è *sol* anche in **AM**, ed è *do* – come fosse *sol* del violino – anche in **P 218**. In quest'ultima fonte la disposizione dell'accordo è diversa e rende le cose più chiare, col *do* al basso che è parte di una linea che da *si*♭ sale fino a *mi*♭, corrispondenti a *fa-sol-la-si*♭ dell'originale per violino. Nella scrittura violinistica quella linea va al basso solo sul *la* a 199, e la si legge con difficoltà.

206 La legatura, ovvia, manca sia in **B** che **AM**.

227-228 Nella trascrizione per cembalo le due appoggiature *si*♭ sono segnate con un punto sopra la testa della nota. Più che un'indicazione di pronuncia sembra essere un segnale di attenzione, perché non vada perduto il particolare significato di quella reiterazione. Per renderlo, qui si suggerisce di usare il mezzo più propriamente violinistico delle legature, segnate tratteggiate.

273 Un caso per tutti: la diteggiatura consigliata vale se l'accordo viene eseguito nel modo consueto, a partire dalle corde basse, ma è inutile se non addirittura dannosa se l'accordo viene eseguito rovesciato.

Andante

10 Intendo che la prima nota del trillo, *si*³, sia suonata col primo dito, e il trillo vero e proprio, dopo aver suonato il *la* vuoto una prima volta, con secondo dito e corda vuota.

15 Qui compaiono le uniche legature a due dell'intero movimento.

25 La divisione è da intendersi come segue:

Allegro

1 Il tempo in chiave è ¢, sia in **B** che in **AM**. Invece nella trascrizione per cembalo è **c**. Vedi anche nota a 1 del *Tempo di Borea* e del suo *Double* dalla *Partita* in Si minore BWV 1002.

49 In **D** la quartultima nota è *sol*♮, perché la fa ricadere sotto l'influenza del diesis sulla sesta nota. Riguardo la maniera di annotare le alterazioni vedi nota a 1 dell'*Adagio* della *Sonata* in Sol minore BWV 1001.

Partita in Re minore BWV 1004

AM segna i titoli un po' in italiano, un po' in francese: *Allemande, segue la Courante*, poi *Corente, Sarabande, Giga, Ciaccona*. Vedi anche i titoli delle singole danze nelle altre *Partite*.

Allemanda

15 Manca la legatura sulla seconda terzina, anche in **AM**. Confronta con 22.

16 La pausa di semicroma è aggiunta, manca anche in **AM**. Vedi anche nota a 24 dell'*Allemanda* della *Partita* in Si minore BWV 1002, e nota a 80 della *Corrente* della stessa *Partita*.

20 La legatura nel primo quarto esclude il *fa*♯ e si estende fino al *re*, e sembra essere così anche in **AM**. Più difficile la lettura nel secondo e terzo quarto. In questa edizione si consiglia di uniformarle tutte al modello di 11 e 12, con l'unico dubbio che la prima possa effettivamente essere diversa.

32 La pausa di semicroma è aggiunta, manca anche in **AM**. Vedi nota a 16.

Corrente

3 La divisione dei ritmi puntati è da intendere come fosse in 9/8, in tutta la *Corrente*:

41 Una piccola curiosità storica: la settima nota è *si*♭, anche in **AM**, ma **D** e **S** la leggono *si*♮, ciò che rende regolare la progressione. **J** legge *si*♭ nella fonte, ma corregge in *si*♮ nella revisione.

49 Bach segna l'accordo col punto, qui omesso, e lo fa anche **AM**, come se il movimento fosse pensato in 9/8. Invece le note finali della prima e della seconda parte sono computate perfettamente, con tanto di punto alla croma.

Vedi note a 8 e 32 del *Double della Sarabanda* della *Partita* in Si minore BWV 1002.

53 Manca la legatura sulle ultime tre note. C'è in **AM**, e sembra fin troppo ovvio aggiungerla: ma se **B** proprio non l'avesse voluta, quale altro modo avrebbe avuto per indicarlo se non evitare di scriverla?

Sarabanda

9 È uno dei casi in cui il trillo interferisce con la possibilità di tenere il bicordo. Vedi anche 13 e 25, e 21 del *Largo* della *Sonata* in Do maggiore.

13 Vedi nota a 9.

25 *prima volta* Vedi nota a 9.

Giga

17 Manca legatura sulle prime tre note dell'ultimo gruppo ritmico.

21 Manca la legatura su terzultima e penultima nota, in **B** e in **AM**. Confronta con 1 e 2. In questa edizione è aggiunta, ma avrebbe senso anche farne a meno. **BG** segna una legatura che comprende le ultime tre note.

38 Manca la legatura sulle prime tre note dell'ultimo gruppo ritmico, anche in **AM**.

Ciaccona

1 In Mendelssohn la mano sinistra del pianoforte suona *re*^{1} sul battere:

Confronta con l'inizio del *Preludio* della *Partita* in Mi maggiore BWV 1006: lì la pausa sul battere c'è, sia in **B** che **AM**, e negli adattamenti per organo concertante effettivamente si suona. Vedi nota introduttiva alla *Partita* in Mi maggiore BWV 1006.

10 Osserva la durata della linea di canto, che qui è sempre prolungata rispetto alle altre voci dal punto di valore, segnato scrupolosamente fino a 17, anche quando le voci che muovono sono più d'una. Normalmente la durata delle voci sovrapposte è uniforme, e lascia all'esecutore la responsabilità di scegliere se e come metterne una in rilievo, a costruire una linea di canto. Questa invece sembra essere un'indicazione precisa.

È questo uno dei passi che hanno spinto i violinisti a chiedersi se non fosse doveroso cercare una tecnica, anche inconsueta, in grado di rendere chiara la percezione della polifonia. Vedi il paragrafo sulla polifonia nelle Note per l'esecuzione.

31 La legatura è come in **BG**, ma in **B** potrebbe essere come quella tratteggiata. **AM** è meno accurata e non risolve i dubbi. *Idem* a 32.

32 Come a 31, vedi nota.

45 Suggerisco di eseguire la scala una nota per arcata, sul modello di 41 e 43.

47 Come a 45, vedi nota.

67 In **B** c'è un punto su *si♭*, sesta nota, e mancano legature nel secondo quarto. In **AM** non ci sono né punto né legatura. Suggerisco di uniformare al modello del primo quarto di 65, 66, 67 e 69.

89-120 Con le prime due quartine scritte per esteso **B** fornisce un modello per l'esecuzione dell'intero passo, fino a 120. Si tratta però di un modello pensato su tre corde, non sufficiente a chiarire come comportarsi quando lo si debba applicare a quattro suoni. La via più ovvia, largamente condivisa, è di sovrapporre le due corde basse. L'esempio che segue è dato sui primi tetracordi di 103-104:

Forse, più che raddoppiare le corde basse, si potrebbero raddoppiare quelle acute. Non l'ho mai visto suggerire, e sono debitore per questa soluzione a una mia allieva, che l'ha scelta con naturalezza la prima volta che mi ha fatto sentire la *Ciaccona* a lezione:

L'alternativa, altrettanto ovvia e molto più facile e intuitiva per il violinista, è di trasformare il modello in terzine:

A 117 si incontra un problema di diteggiatura: non c'è modo di evitare che il primo dito salti dalla quarta alla prima corda, perché deve occuparsi sia del *la* sulla quarta corda che del *fa* sulla prima. Il violinista Giorgio Fava mi suggeriva che sia una prova del fatto che all'epoca anche il pollice della mano sinistra veniva usato sulla tastiera, come fanno i chitarristi.[1] In questo caso potrebbe tenere il *la* basso.

Diversamente, rinunciando all'uso del pollice, spesso si suggerisce di raggiungere il basso una sola volta, appoggiandolo con evidenza. Se si scegliesse questa strada, mi sembrerebbe necessario fare altrettanto nei due tetracordi seguenti, per continuare a trattare la linea del basso allo stesso modo, anche se lì il problema della diteggiatura non esiste:

Lo stesso in terzine:

Tutto ciò detto, va considerato che il pieno e il vuoto di tricordi e tetracordi non è in perfetta coerenza col percorso della musica: qualche volta là dove si sentirebbe il bisogno di una maggior ricchezza di suono si trovano solo tricordi, o, viceversa, solo tetracordi dove si sentirebbe bisogno di assottigliare, o, ancora, si incontrano gli uni e gli altri quasi accidentalmente, per frammenti non sufficienti a costruire un collegamento logico con ciò che segue.

Quale che sia la scelta, avrà effetto sulla fisionomia della nostra esecuzione, sulla ricchezza del tessuto sonoro, sulla percezione delle linee, e sulla sensazione di vitalità se decideremo di ricorrere alla diminuzione in terzine.

Una proposta che tiene in conto tutte queste considerazioni e le contempera con le esigenze narrative dell'esecuzione vera e propria ci viene fin dall'edizione di Ferdinand David. Anche Schumann la adotta. È una proposta che mostra chiaramente di esser nata dall'esperienza diretta e che, colpi d'arco a parte, ha avuto fortuna con pochi aggiustamenti fino a Novecento inoltrato, almeno fino alle edizioni di Carl Flesch e di Henryk Szeryng. Vale la pena di riprodurla qui, se non come suggerimento, almeno come importante documento di storia dell'esecuzione, vedi Appendice 2.

Osserva le doppie divisioni di battuta a segnare la metrica, e nota che a 117 **D** legge il secondo accordo con *re*[4] anziché *do*[4], anche nella fonte. **S** fa altrettanto.

Il mio personale consiglio è di seguire il modello indicato da **B** per l'intero passo, senza che, per quanto possibile, si avverta differenza di articolazione tra tricordi e tetracordi. Nel caso dei tetracordi si dovrà lasciare che i suoni si sovrappongano senza far caso più di tanto alla loro articolazione interna, ma sarà facile giocare con le sovrapposizioni, da arpeggio nitido e sgranato verso l'accordo quasi tenuto, ad arricchire o smagrire la trasparenza del tessuto sonoro secondo le situazioni della musica.

Trovo un po' meccaniche le soluzioni che ho descritto all'inizio di questa nota. Viceversa, della proposta di David apprezzo la cura nel far cogliere la struttura delle frasi, grazie alle metamorfosi dei modelli da applicare – anche se osservo che ogni nuova formulazione dovrebbe iniziare dal secondo quarto e non dal battere –, e l'attenzione nel mettere a disposizione del violinista una modalità di esecuzione che permette di evidenziare i movimenti delle voci interne, che viceversa andrebbero perduti.

Un'ultima considerazione. Nel modello fornito da **B** manca la legatura tra le note 7 e 8. **AM** la aggiunge. Se questa lacuna stia a suggerire una divisione dell'arco come quella che **D** adotta all'inizio non so dire, sta di fatto che spesso i violinisti la preferiscono, e molte revisioni la suggeriscono. Tutti gli esempi dati fino a qui possono facilmente essere convertiti all'uso di quelle arcate.

1. Giorgio Fava, *Il quinto dito perduto. L'uso del pollice nelle antiche diteggiature violinistiche*, «A tutto arco», iii/5 (2010), pp. 68-75.

201 Qui né **B** né **AM** forniscono un modello, vedi 89 e nota relativa. La mia proposta è in calce alla pagina. In **AM** l'indicazione "arp." è data sul secondo quarto, e io considero logico che si inizi da lì e non dal battere, e si prosegua fino alla fine di 207, le crome di 208 escluse.

214 Mancano i punti nelle voci centrali dell'accordo sul battere. Vedi nota a 10.

Sonata in Do maggiore BWV 1005

Adagio

Di questo *Adagio* esiste una trascrizione per cembalo in Sol maggiore: la si trova nel manoscritto **P 218** e ha numero di catalogo BWV 968. Del manoscritto **P 218** si parla nella nota introduttiva alla *Sonata* in La minore BWV 1003.

L'*Adagio* BWV 968 conta una battuta in meno rispetto all'originale per violino: a 17 il percorso armonico è disposto diversamente.

Un'osservazione generale sulle arcate suggerite da **D**, che sono sistematicamente col primo quarto *in giù* e il secondo e il terzo *in su* nella stessa arcata, lungo tutto il movimento, secondo uno schema *giù-su-su* molto banale. Dà da pensare. Considerato che quella di **D** è una revisione pensata per la didattica, bisogna credere che l'automatismo battere *in giù* e levare *in su* fosse un dato scontato all'epoca, più di quanto non si immagini al giorno d'oggi. Inoltre, quella di **D** è un'organizzazione delle arcate realizzabile solo a condizione di una certa scorrevolezza, che produce un'accentuazione insistita sul battere, lungo tutto il movimento. Si tratta di scelte musicali, o non è piuttosto che una consuetudine violinistica è stata applicata a forza alla musica, senza domandarsi se non l'avrebbe deformata?

9 La diteggiatura suggerisce un sistema poco convenzionale ma efficace, se ben mascherato, per tenere la settima *si*^{3}-*la*^{4}, molto scomoda – sempre che la si voglia tenere – se presa con secondo e terzo dito.

Personalmente non credo che nemmeno in un movimento come questo, così ripetitivo, sia bene stabilire una misura fissa per la durata delle voci secondarie. Meglio farne una questione non di norma ma di espressione, scegliere cioè caso per caso, sovrapposizione per sovrapposizione. Questa settima per me è irrinunciabile.

18 È questo uno dei casi in cui eseguire gli accordi rovesciati sembra veramente necessario alla comprensione delle linee di canto, diversamente all'ascolto risulterebbero collegate la voce superiore e la semicroma nella voce inferiore, ciò che naturalmente non è.

39 La divisione è da intendersi come segue:

40 **B** va a capo sul terzo quarto della battuta, e di conseguenza è costretto a scrivere due legature, la prima delle quali sembra chiudere sul *sol*, mentre la seconda indica chiaramente di provenire dalla riga precedente. **AM** ricopia diligentemente le due legature, anche se non ha bisogno di andare a capo. È chiaramente un'unica legatura, come nelle due battute che seguono.

Fuga

1 Questa è la fisionomia che darei al soggetto della *Fuga*, da tenere presente anche per tutto il materiale che ne deriva:

Nella sua interessante e bella revisione, Michelangelo Abbado nota che secondo Albert Schweitzer di questa *Fuga* esisteva una versione per organo, e osserva che i primi otto suoni del soggetto sono stati usati da Bach in tre corali, e ne confronta i testi. Le arcate che propone sono suggerite dalla sillabazione di uno di questi.

Le osservazioni di Abbado e la sua maniera di pervenire a una scelta ben rappresentano la qualità del pensiero che veniva speso per queste musiche, anche in anni in cui la ricerca di una prassi esecutiva storicamente informata era solo agli inizi, in particolare in Italia. La sua proposta di far prevalere il senso del legato – come in un corale – sull'articolazione, è estrema ma interessante e ricca di buone ragioni.

Vedi anche nota 16 delle Note per l'esecuzione.

4 Questa è l'unica delle tre fughe di questa raccolta con un vero e proprio controsoggetto. Qui a 4 è ben evidente, altrove è più problematico farlo sentire.

Vedi anche nota a 154-158.

10 Suggerisco di tenere il *sol*^{4}: mi sembrerebbe grave perdere parte della prima nota del soggetto. *Idem* a 205.

13 Osserva la durata del *re*^{3} e confronta con 295: c'è chi suggerisce di ribatterlo a metà battuta.

16 È la voce interna che muove: per renderla evidente è sufficiente rimanere con l'arco su di lei un poco più a lungo che sulle altre. Vedi i riferimenti a Henryk Szeryng nella Prefazione e nelle Note per l'esecuzione.

Inoltre, in questo caso non mi sembra necessario tenere il *la* alla voce acuta, anche se è parte del controsoggetto, perché già dal battere seguente non si potrà più farlo, a meno di non accogliere la proposta di Abbado di eseguire questa *Fuga* tutta *legata*.

Vedi nota a 1 e nota a 10.

24 Parlando di accordi da rovesciare, questo è uno di quei casi che richiedono una scelta, o almeno consapevolezza. Forse appoggiare il basso sul battere sarebbe sufficiente a far capire che è lì che sta muovendo il soggetto, ma a me sembra che lasciare nell'aria il *mi* acuto sia un vero e proprio fraintendimento.

30 Come a 16, vedi nota.

46 *Re*^{4} è una semiminima in **B** e in **AM**. Confronta con 334.

56 In questo caso non credo sia opportuno rovesciare gli accordi: la linea muove al basso per semiminime, ma a causa della distanza fra le corde non sarebbe possibile in nessun caso rimanere sulla voce più acuta. Vedi nota a 24 e nota a 154-158.

57 Consiglio di suonare il *re* con quarto dito, lasciando che la corda vuota risuoni mentre si percorre l'accordo con l'arco, per dare coerenza timbrica alla linea inferiore.

60 La legatura è così in **B** e in **AM**. Vedi anche nota a 348.

112-121 Immagino queste legature tratteggiate come qualcosa di simile a un nuovo registro dell'organo: più un suggerimento di espressione che non una vera e propria indicazione per l'arco. Presa questa strada si potrebbe fare molto di più, per esempio giocare sul peso delle voci – ma come esprimerlo nel segno grafico? –, che può variare anche durante una singola arcata. Ad esempio, a 116 è naturale pensare a una messa di voce su *re*^{3}, che vada ad appoggiarsi sul battere, e così via nel prosieguo del passo.

Idem a 137-152. Vedi paragrafo sulla polifonia nelle Note per l'esecuzione.

137-152 Vedi nota a 112-121.

142 È una soluzione di diteggiatura non convenzionale ma efficace, se fosse scomodo diteggiare l'ottava con primo e terzo dito, e urgente l'esigenza di tenere il *si*♭^{3}.

154-158 Qui non c'è modalità tecnica che possa rendere lo scambio tra le voci, perché quella intermedia si sente con chiarezza solo quando muove da sola, dunque una nota sì e una no. A 154-155 Abbado suggerisce di eseguire gli accordi nella direzione consueta – a partire dalla corda bassa – per poi tornare sulla voce da prolungare, ma dubito dell'efficacia di questa soluzione; Szeryng suggerisce di fare lo stesso dopo aver eseguito gli accordi rovesciati. *Idem* a 157, per entrambi.

Forse questo è uno di quei casi in cui l'interesse non è nel far sentire nitidamente lo scambio delle voci, quanto nel fatto che quello scambio c'è, e l'esecutore ne è consapevole.

Vedi paragrafo sulla polifonia nelle Note per l'esecuzione.

205 Come a 10, vedi nota.

269 La quarta nota è *fa*♯ in **D** e **S**. Joachim legge correttamente la fonte.

330 In **B** la legatura potrebbe forse essere letta da nota 1 a nota 4. In **AM** è chiaramente come a battuta 42.

348 In **B** la legatura è da nota 2 a nota 8. In **AM** le legature sono due, da 2 a 4 e da nota 5 a 7. Confronta con 60.

Largo

1 In **B** io leggo la prima legatura così com'è qui, molto chiaramente, e noto una differenza evidente con, ad esempio, la prima legatura di 2 o quella di 3. **AM** non è accurata, e anche in questo caso non è d'aiuto. **BG** segna la legatura da nota 1 a nota 3.

6-7 Confronta le legature con 16-17.

8 Come a 1, vedi nota.

12 La legatura è tra *la* e *do*, da nota 2 a nota 3, anche in **AM**. **BG** la segna da nota 1 a nota 2.

16 In **B** e in **AM** io leggo la prima legatura così com'è qui. **BG** segna la legatura da nota 1 a nota 5.

Inoltre, è interessante confrontare il tricordo a metà battuta col bicordo a metà di 6: là sembra un modo di evitare la corda vuota di *mi* mediante la scrittura, senza bisogno di una prescrizione di diteggiatura.

Allegro assai

21 Forse mettere il quarto dito sul *re* nella seconda quartina aiuterebbe la chiarezza, ma spegnerebbe anzitempo la risonanza del *sol* vuoto.

33 A proposito della maniera di annotare le alterazioni, qui in **B** sono segnati sei diesis, a ognuno dei sei *do* che compaiono nella battuta! A 34 **B** ne dimentica solo uno, su nota 4, e anche **AM** incorre nella stessa dimenticanza. Vedi anche nota a 84 del *Preludio* in Mi maggiore.

101 Bach non segna mai alterazioni di cortesia, come è uso al giorno d'oggi. Lo fa però almeno una volta, qui, sul *mi* naturale terza nota della battuta, quando l'ultimo *mi*♭ era stato ben due battute prima, per di più su una diversa ottava.

Partita in Mi maggiore BWV 1006

L'intera *Partita* ci è giunta anche in un adattamento in Mi maggiore, databile intorno al 1737, per uno strumento non specificato che oggi si ritiene sia il liuto mentre in passato si è pensato potesse essere il cembalo, addirittura l'arpa, oppure uno strumento melodico, flauto o violino, col continuo. Ha numero di catalogo **BWV 1006a** e lo si trova nell'autografo Littera rara vol. 2-14.

Inoltre il *Preludio* è stato impiegato due volte in adattamenti per organo concertante, archi e continuo, come sinfonia alla seconda parte della *Cantata nuziale* BWV 120a, e come sinfonia d'apertura della *Cantata* BWV 29.

Preludio

13 In **B** il *forte* è sulla terza nota, *idem* il *piano* a 15. Confronta con 63 e 65, dove *forte* e *piano* sono entrambi sul battere. **AM** dimentica i *piano*, ma conferma la posizione dei *forte*, diversa tra 13 e 63. Nella trascrizione **BWV 1006a** i colori sono segnati sempre sulla prima nota.

Uniformare i due passaggi sembra ovvio, ma si tratterebbe di uniformare là com'è qui, o viceversa?

Le sinfonie delle *Cantate* non sono d'aiuto a dirimere la questione, perché né nelle prescrizioni dinamiche, né nell'orchestrazione, vi è traccia del gioco di *forte* e *piano* che è qui, che rende logico e atteso il *forte* di 13. Anzi, in esse 13 è un punto minimo, *piano* di per sé causa la magrezza della scrittura, con l'organo solista lasciato solo.

19 La penultima nota è *la*[4], evidentemente per errore. Anche in **AM** è *la*[4]. Nella trascrizione **BWV 1006a** è *sol*♯, come è qui.

41 In **B** e **AM** ci sono altre due legature sulle note 1-2 e 3-4. Nella trascrizione **BWV 1006a** non compaiono, coerentemente con 39 e 40. In questa edizione sono state omesse.

44 Tra parentesi una diteggiatura che facilita l'estensione, da usare semmai anche a 46.

54 Così è in **B**, in **AM** e nella trascrizione **BWV 1006a**, mentre nelle *Sinfonie* delle *Cantate* è come la battuta precedente.

63 Il *forte* è in questa posizione in **B** e in **AM**. Confronta con 13 e 15, e vedi nota a 13.

84 In **B** e in **AM** è segnato per errore un bequadro all'ottava nota, *mi*, che, secondo le loro consuetudini, sarebbe dovuto essere segnato alla settima, *re*. La battuta contiene un secondo refuso, e **AM** replica anche questo: manca il bequadro a nota 3. Qui tutto è stato ricondotto alla norma, con regole di notazione attuali.

Per fare un paragone con una battuta vicina, a 80 **B** segna scrupolosamente il bequadro a tutti i *re*, note 2, 4, 8 e 12, e **AM** fa altrettanto. Credo sia il segnale che quella di **AM** fosse una maniera di copiare meccanica, senza veramente valutare quel che scriveva.

Nella trascrizione **BWV 1006a** è tutto come si deve.

Vedi anche note a 33 e 101 dell'*Allegro assai* della *Sonata* in Do maggiore.

128 L'ottava nota è *la* in **B**, in **AM**, nella trascrizione **BWV 1006a**, e anche nelle versioni per organo. Per **D** e **S** è *sol*♯, **D** "vede" *sol*♯ anche nella sua lettura dell'autografo bachiano.

Gavotte en Rondeaux

È *Rondeaux* anche nella trascrizione **BWV 1006a**. In **AM** è "Rondeau".

8 Una piccola questione, che segnalo per scrupolo. In **B** il movimento non è scritto per esteso: a metà 92 c'è un "Da Capo" che rimanda all'inizio.

Di solito la conclusione del movimento è indicata con una doppia corona sopra e sotto il rigo, posta sulla chiusura dell'ultima battuta, e più di rado con una corona sull'ultima nota: quest'ultimo caso si presenta nell'*Adagio* in Sol minore e nella *Fuga* in Do maggiore. Qualche volta non c'è corona: accade alla conclusione della *Siciliana*, del *Grave* e dell'*Andante* in La minore, e dell'*Adagio* in Do maggiore.

Qui a 8 – che in **B** è, lo ricordo, sia battuta di passaggio che conclusione del movimento – è segnata una corona sull'ottava *mi-mi*, e a metà di 92 compaiono l'indicazione "Da Capo" e anche la corona sulla chiusura della battuta. Quest'ultima indicazione cade sia in **AM** che in **P 267**.

In questa edizione il movimento è scritto per esteso, come in tutte le edizioni moderne, e le corone sono segnate tutte e due, una a 8 e l'altra a conclusione di movimento. Di norma la prima cade. Solo l'edizione di Szeryng, per quel che mi consta, le indica tutte e due, ma tutte e due a 100.

Rimane un dubbio residuo su come comportarsi a 8: se rispettare la corona o meno, e se quelle otto battute non siano da ritornellare anche a conclusione del movimento; nella trascrizione **BWV 1006a** l'indicazione data a 92 è "Da Capo a Fine".

BG non pone mai corone a conclusione dei movimenti, tranne quelle a conclusione dell'intera *Sonata* o *Partita* e nei due casi che ho ricordato in cui sono segnate sulla nota, e non segna nemmeno la corona sull'ottava di cui abbiamo parlato.

10-11 Qualche dubbio sulla seconda legatura di 10, e sulla prima di 11. Potrebbero essere da nota 2 a nota 3 delle rispettive quartine, forse la seconda con più evidenza che non la prima.

La lettura diplomatica di **D** le legge tutte e due a comprendere l'intera quartina, da nota 1 a nota 4, e lo stesso è in **BG**. Viceversa, nella sua proposta di esecuzione **D** le indica così come sono qui sopra il rigo, e anche **J** le legge nella fonte come sono qui, anche se poi consiglia altro.

Nella trascrizione **BWV 1006a** le legature sono sulle due note centrali della quartina, ed è così anche l'unica legatura segnata nella seconda quartina di 12.

34 Quelle in corsivo sono le uniche diteggiature di **B**; compaiono anche in **AM**.

Menuet 1er – Menuet 2de

In **AM** sono "Menuett 1" e "Menuett 2". Nella trascrizione **BWV 1006a** sono "Menuetti" e "Menuet 2de".

Menuet 1er

12 Manca la legatura sull'appoggiatura, sia in **B** che in **AM**; qui è aggiunta.

28 La legatura manca in **B**, c'è in **AM** e anche in **P 267**.

Bourée

21 In **B** e **AM** la legatura comprende sei note. Qui si consiglia di uniformarla a 23 e a 22 e 24, che sono coerenti con 5 e simili.

25 Manca *forte*, anche in **AM**. C'è in **P 267**. Qui è aggiunto, confronta con 9.

Gigue

17 La legatura manca in **B**, in **AM** e anche in **P 267**. Anche **BG** non la segna. Confronta con 1 e vedi anche nota a 21 della *Giga* della *Partita* in Re minore BWV 1004.

CRITICAL NOTES

Sonata in G minor BWV 1001

Adagio

3 This case is thoroughly debated. In this specific bar, this is how the accidentals are marked in **B** and **AM**, for the sake of clarity. The *E* on the fifth quaver is missing a flat, which was added in every single edition. Bach might have missed it because it was considered obvious – he might have read it even if it was missing – but some performers started playing *E♮* – as it is written; it makes sense, if one reads *D-E♮-F♯-G* in the lower voice as part of the ascending melodic scale, and the *E♭* in the upper voice before the third beat as part of a descending melodic scale or as turning note.

Accidentals in Bach only apply to the note they're affixed to. **B** and **AM** note every other flat to the *Es* in this bar: both the *e''* and the *e'*, on the same line as the one we are considering.

In **D** and **S** it is *E♭*. See bar 2 of the *Fugue* and relative footnote.

About the method used for marking accidentals read notes at bars 33 and 101 of the *Allegro assai* from the *Sonata* in C Major, and note at bar 84 of the *Prelude* from the *Partita* in E Major.

Furthermore, in **B** the third-to-last note is a demisemiquaver, and the last two are hemidemisemiquavers; in **AM** they are all written as hemidemisemiquavers. To make things add up, most performers halve the duration of the last three notes in **B**, as found in **P 267** and in this edition. Michelangelo Abbado observes that one could halve the value of the four notes before the trill:

11 **B** and **AM** leave out the slur on the appoggiatura on the third beat.

14 I always considered the cadenza in C to be implied on the the downbeat of bar 14, whereas **S** protracts its permanence on the dominant until the middle of bar 15: a solution I never would have imagined, performing *a solo*.

17 How the slur on the third beat is to be intended is not entirely clear: in **B** it is marked with two lines that join over the *ab''*, whereas in **AM** we find two distinct slurs.

19 The slur on the first four notes is in **B**; **AM** and **BG** leave it out.

21 The division in the second beat is to be intended as follows:

Furthermore, the third-to-last note in this bar is a demisemiquaver, both in **B** and **AM**. **P 267** has the correct division, which is also the one in this edition.

Fugue

We have two transcriptions of this *Fugue*, one for organ, in D minor BWV 539 – whose authenticity is not assessed, as no surviving copies can be traced back to Bach's family or his work entourage – and one for the lute BWV 1000, of which we have a copy in tablature. Neither has been chosen as secondary source.

1 This is the structure I would give to the theme of the *Fugue*, to be kept in consideration for all deriving material:

2 *e′*, the third-to-last note in the bar, misses the flat both in **B** and in **AM**. Neither **D** nor **S** finds it necessary, and neither marks it. **J** reads the source without the flat, and adds it in the revision.

An *E♮* – especially one so early on in the *Fugue* – would be somewhat unorthodox. Further on, at bar 15, we have a model we can use as reference.

A similar case could be bar 3 of the *Adagio*, with a missing accidental – invisible to the eye and obvious to the mind – but **BG** includes the doubt and suggests a flat above the stave – as does this edition.

12 Here, and in **AM**, the last two slurs are missing.

15-16 The dashed slur indicates a technical solution with no historic evidence, thought out so as to let the *d‴* lean on the downbeat with a little messa di voce, and to keep the flow of the quavers on the lower voice. The bowing technique that allows this is the same that allows to keep the singing line while playing the ribattuto in the accompaniment throughout the Andante of the *Sonata* in A minor.

Without even reading the prolonged *D* in the source, **D** had solved the matter as written in the lower stave that follows:

J recovers the prolonged *D*, appropriates **D**'s bowings in the semiquavers of the lower voice at bar 16, and describes the bowing technique at hand very clearly:

The same applies to bars 17-18. See the preface about **D** and **J**.

20 This is one of the cases in which the use of reverse chords could be justified – see paragraph about polyphony in the Notes for the performer. If we were inclined to do so, the logical place to do it would be the fifth quaver at bar 21:

In other parts the curator has suggested that the chords be in actual fact reversed. When inverting the direction of a chord the gesture sequence changes, so rethinking the fingerings is of essence. See note at bar 273 of the *Fugue* in the *Sonata* in A minor BWV 1003.

34 The slur between the first two notes is missing; **AM** includes it.

35 We don't have an indication as to how to perform this passage – an arpeggio model, like the one we find at bar 89 of the *Ciaccona* in the *Partita* in D minor.

Russian violinists, contemporaries of David Ojstrach simply played it as written: a trichord in the middle of bar 35, then three single quavers, and so on, except in the second half of bar 36, where they played 4 trichords. **D** already suggests a solution, see Appendix 1.

My suggestion is at the foot of the page.

59 The slur between C and G, the last two notes in the upper voice, is absent both in **B** and in **AM**.

60 The slur between *G* and *D*, the sixth- and fifth-to-last notes, is absent both in **B** and in **AM**.

83 Both **B** and **AM** leave out the slur between the first two semiquavers.

Siciliana

1 As for fingering, the extension between second and third finger applies to all similar cases. Strange as it may seem, I often noticed that performing the first three notes with an open hand – as I suggested – facilitates the movement of the fourth finger to get the *E♭*. See paragraph about left hand and fingering in the Notes for the performer.

4 Holding the low *B* mid-bar seems crucial to me, the same applies to bar 19. Look at the duration: if we left the *B* on the A-string we would forced to add a rest. Also see the note at bar 13 and the note at bar 10 of the *Ciaccona* in the *Partita* in D minor.

5 **AM** too leaves out the slur between the seventh and eight quaver of the bar – *a″* and *g′*: its absence is of little significance, since many are missing from this movement – starting with the one between *b♭″* and *a″* at bar 1. Also see note at bar 11.

6 Neither **B** nor **AM** mark any accidentals to the last *e″* of the bar and – according to modern custom – it should be

under the effect of the flat indicated on the previous *E*, albeit on the lower voice. It should be noted that both **B** and **AM** mark the sharp to the *F* immediately preceding the *E* in question, though it was already marked on the second eighth of the bar. According to them the aforementioned *E* is certainly natural.

Clearly, neither **D**, **S**, nor **J** are bothered by the augmented second this causes, and they don't mark the natural sign.

About the criteria used for marking accidentals, see note at bar 1 of the *Adagio* in the *Sonata* in G minor BWV 1001.

7 The fourth note is dotted in **B**, not in **AM**.

Also, the dashed slur between the seventh and the eighth quaver in the upper voice is suggested by the curator on the pattern of bar 5, which in turn is modeled on bar 1. Sure enough, in so doing the lower theme-bearing voice is sacrificed. The only solution would be reversing the chord in the middle of the bar, keeping the bass, and playing the *c''* with the same bowing technique as the *Andante* of the *Sonata* in A minor, played backwards.

9 **D**, **S** and **J** add *F♯* to the middle voice on the eighth quaver of the measure – **D** goes as far as to mark it on the source, giving it for granted. That *F♯* was performed until not long ago: it's a small trace of the change in the perception of harmony through the years.

11 The slur between *a♭''* and *g''*, seventh and eighth quavers of the measure, is the only one throughout the passage, both in **B** and in **AM**. The others were added by analogy, from bar 9 to bar 11.

13 I believe the semiquaver rest in the upper voice is very powerful – an absence of greater energy than the presence one expects. Performances seldom do justice to the composition.

D and **S** do not "correct", but Hubay and Capet do: both remove the rest and lengthen the *E♭*!

14 Both **B** and **AM** leave out the second slur; **AM** omits the previous one as well, but not the following ones. See note at bar 5.

19 Compare note at bar 4.

20 The up-bows and down-bows do not constitute an alternative between legato – following the dashed slur – and slegato – as the indications propose. To the contrary, the two indications go together: changing the bowing helps with the legato, as it clarifies the effect of the crosswise movement of the left fingers.

Presto

The division of the bars is as in **B**. Neither **AM** nor **P 267** replicate it. See the *Courant* in the *Partita* in B minor BWV 1002.

34-35 The dashes were added by the curator, they are not suggestions of prolonging the notes they refer to: they are a warning sign so as to keep the correct division in mind, to avoid emphasizing the wrong notes.

Also see bar 110 and following.

53 Compare with bar 135. I suggest playing an open *A*, with no double stop.

102 In my opinion, the slur in **B** encompasses five notes rather clearly. In **AM** the slur is less clear, and seems to encompass six notes; many editions follow this version. **P 267** seems to write a five note slur as well.

D and **S** have no slur, **J** has a five note slur.

110-120 The dashes were added by the curator, see note at bars 34-35.

118-120 At bar 118 the slur seems to begin at the third note, *C* – likewise at bar 120, at *B♭*. Whereas at bar 119, the slur begins clearly at the second note in **AM**, until the following downbeat.

In **P 267** the bowings are marked as in this edition.

Partita in B minor BWV 1002

Allemanda

It's titled "Allemande" in **AM**. In **P 267** it's *Allemanda*. Also see the titles of the single dances in other Partitas.

1 **B** misses the dotted *f''* in the middle of the bar. **AM** misses the *A♯* too: these are tiny gaps that repeat themselves at bars 4 and 15. See note at bar 10 of the *Ciaccona* from the *Partita* in D minor BWV 1004.

4 *b'*, last note of the second beat, is a semiquaver in **B** and **AM**, even though preceded by a dotted rest. It has been corrected in a demisemiquaver like the voice it is stacked on.

Observe the different duration between the upper voice and the three lower voices of the chord in the middle of the bar, even in **AM**. See note at bar 1.

5 The third beat is to be divided as follows:

11 The third beat is to be divided as follows:

15 The last *C* of the measure is a matter of debate. We know Bach intends accidentals to be performed on the immediately following note; so, even though a natural appears beside the C in the first triplet, the following Cs – in the third and fourth triplet – go back under the influence of the key signature, and are certainly sharp. The sharp in the third triplet is not debatable, but you can find it in brackets – for the sake of clarity – because the accidentals in this bar are the same as in **B** and **AM**. It should also be noted that **B** – and **AM**, of course – mark *D♯* twice.

Neither **B** nor **AM** mark the C in question – fourth-to-last note of the bar – with a natural sign. Therefore they mean *C♯*; compare the second beat of bar 9 from the *Grave* of the *Sonata* in A minor BWV 1003: the situation is almost identical, and some reviewers used it as reference.

It might be interesting to know that **D**, **J** and Hubay are aligned on C♮; **BG** marks *C♯*.

16 For the fingering, I suggest playing the *A* with an open string, then lay down the second and third finger for E and C, even though this distributes the trichord on two strings alone. The open string spawns a luminous and pure sound that suits the passage.

See bar 17 of the *Grave* of the *Sonata* in A minor BWV 1003 and relative note for an example of the opposite case.

18 The first beat is to be divided as follows:

21 The first beat is to be divided as follows:

Furthermore, the triplet misses a slur on the fourth beat.

23 *e''*, second to last note of the lower voice, is a semiquaver in **B** and **AM**. Here it was corrected to a demisemiquaver, like the voice it is subject to.

24 The semiquaver rest has been added, even **AM** leaves it out. See note at bar 80 of the *Courant*, and notes 16 and 32 of the *Allemande* of the *Partita* in D minor.

Double of the Allemande

23 There is no slur between notes 3 and 4: **AM** adds one. Compare with bar 11. **D** reads three slurred notes in the source – notes 1 to 3 – then five notes without slur; **S** does the same. **J** reads the source correctly.

Courante

AM titles it "Correnta", whereas **P 267** titles it *Corrente*.

The division of the bars is as it is found in B. Neither **AM** nor **P 267** reproduces it. See the *Presto* of the *Sonata* in G minor BWV 1001.

10 **D** and **S** read the last three notes as *E-D-C♯*.

23 A little history of harmonic perception: the fourth note is *C♯*, even in **AM**, by effect of the key signature. It appears so obvious to him that **D** reads C♮ even in the source, and so does **S**. **J** reads *C♯* correctly.

80 The eighth rest – which **AM** leaves out too – was added. See note at bar 24 of the *Allemande*, and notes at bars 16 and 32 of the *Allemande* in the *Partita* in D minor.

Double of the Courante

33 Apropos of the changes in the harmonic perception over the ages: in the last beat **S** reads a *G♮*, **D** marks a natural to *G* and *A*!

72 The second note is *G* in **B** and **AM** – and in **P 267** too. **D** and **S** correct it to *F♯*; **D** and **J** read *F♯* in the source as well.

Double of the Sarabande

8 The last note is not dotted, even in **AM**, as if the passage were envisioned in triplets. See note at bar 49 of the *Courante* of the *Partita* in D minor BWV 1004.

15 The second-to-last note of the measure is to be meant *e''* according to **D** and **S**.

32 As in bar 8, see note.

Tempo di Borea

The tempo is ¢, both in **B** and in **AM**. In **P 267** it is c. See following Double and compare with note at bar 1 of the *Allegro* of the *Sonata* in A minor BWV 1003.

Double of the Tempo di Borea

The tempo is ¢, both in **B** and in **AM**, and in **P 267**. See previous note.

Sonata in A minor BWV 1003

There is a harpsichord transcription in D minor of this *Sonata*, classified BWV 964. It is not by Bach, but it can be found in the second fascicle of the **P 218** manuscript; it was written by the copier Johann Christoph Altnickol (1719-1759) and it belonged to one of Bach's last pupils, Johann Gottfried Müthel (1728-1788). This testimony comes straight from Bach's entourage of pupils and collaborators, and is therefore worthy of being consulted.

That same fascicle contains the *Adagio* in G Major BWV 968, see *Sonata* in C Major BWV 1005.

Grave

5 The division is to be intended as follows:

9 A historical little-known fact: as always, accidentals in Bach are valid for the notes that follow immediately. Therefore the *C* and *D* in the second beat go back under the influence of the key signatures and are – without a doubt – natural. If Bach had wanted them sharp in the second beat he would have simply repeated the accidentals.

P 218 confirms this. In it, the singing line is transferred – in the second beat – to the left hand, and lowered by an octave starting from the second note; even with today's reading rules *F* and *G* (*C* and *D* on the violin) escape the influence of the accidentals in the first beat:

Compare with the fourth beat of bar 15 in the *Allemande* of the *Partita* in B minor BWV 1002 and read the relative note.

D and **S** read the passage with modern customs, in a tasteful and expressive manner. You can see it here in the version by **S** with piano accompaniment:

17 Concerning the fingering, I suggest playing both the *G* and the *D* on open strings, then laying the third finger on the *D* string to play the *B*, while the second finger remains where it was, even though this distributes the tetrachord only on three strings. The goal is to keep the singing line on the A string. Also compare bar 16 of the *Allemanda* of the *Partita* in B minor BWV 1002 and relative note: there the passage requires a luminous quality, whereas this one requires intimacy and secrecy.

22 The symbol above and under the first sixth indicates the vibrato, the bow-vibrato, before the trill on *D*♯. Once they mastered it, violinists started performing it in a very cold, standardized manner, with the childish pretense of a quasi improvisation: a bitter end for a magical moment.

Fugue

In the harpsichord transcription it is an *Allegro*. Neither **D** nor **S** – nor any following version – indicates it.

1 This is the structure I would give the *Fugue* theme, and all its deriving material:

2 Many reviewers suggest slurring these quavers two-by-two, every time the subject appears – bars 4, 8, 62, 64 etc. – as exemplified at bars 126, 128, 249 and 251. These slurs are entirely absent in **P 218**, even though **BG** marks them systematically. An indication that applies to a passage further on that is not valid at the very beginning is, in my opinion, somewhat convoluted. They are not copied in **AM** either. If Bach didn't want them, what did he have to do more than *not write* them?

55 In **B** the chord on the downbeat is a tetrachord *e'-g'-b'-e''*, with *e'* written quite evidently, possibly to hide the presence of a *g'* written by mistake; **AM** has a trichord *g'-b'-e''*. The bass of the chord in **P 218** is *A* – as if it were *E* on the violin. In **P 267** the chord is *e'-b'-e'* as in this edition and in **BG**.

Compare with bar 47.

66 The down-bows and up-bows suggest to adopt the articulation of the previous and following bars. In the harpsichord transcription the whole passage is devoid of slurs. See bar 41 of the *Prelude* in E Major, and relative footnote.

138 The fingering with the open *E* – as in bar 2 – seems to me to be a little demonstrative. An open *E* is quite different from an open *A*: the passage here requires secrecy, if anything.

183 The sixth note is *G* in **B** – *A* in **AM**. It is *C* – *G*, on the violin – in **P 218**. In **P 267** and **BG** it is *A*.

198 The central note of the trichord in the middle of the measure is *G*. Violinists often prefer to play *F*, but **AM** writes *G* as well; it is *C* – as it were *G* on the violin – in **P 218** too. In the latter the layout of the chord is different and clears up the question with a *C* at the bass which is part of a line that goes from *B♭* to *E♭* which correspond to *F-G-A-B♭* of the violin original. In the violin writing, that line goes to the bass on the *A* at bar 199, and is not easily readable.

206 Both **B** and **AM** leave out the slur, however obvious.

227-228 In the harpsichord transcription the two *B♭* in appoggiatura have a dot over the note. Rather than a pronunciation mark, it seems to be a warning, so as to maintain the meaning of the repetition. To render it, I suggest using dashed slurs, an indication more proper to the violin.

273 One case for all: the suggested fingering is valid as long as the chord is performed as usual, from the lower strings to the higher, but it is useless, if not harmful, if we chose a reverse chord.

Andante

10 I intend the first note of the trill, *b'*, to be played with the first finger, and the actual trill – after first playing an open *A* – with the second finger and an open string.

15 These are the only two-note slurs of the whole movement.

25 The division is to be performed as follows:

Allegro

1 The tempo is ¢ – both in **B** and in **AM** – whereas in the harpsichord transcription it is **c**. Also see note at bar 1 of the *Tempo di Borea* and its *Double* of the *Partita* in B minor BWV 1002.

49 The last note in **D** is *G♯*, as it falls under the influence of the sharp on the sixth note.

About the manner of marking accidentals, see note at bar 1 of the *Adagio* of the *Sonata* in G minor BWV 1001.

Partita in D minor BWV 1004

Titles in **AM** are sometimes in Italian, sometimes in French: *Allemande, segue la Courante*, then *Corente, Sarabande, Giga, Ciaccona*. Also see the titles of each dance in other *Partitas*.

Allemande

15 The slur on the second triplet is left out in **AM** too. Compare with bar 22.

16 The semiquaver rest has been added: **AM** too leaves it out. Also see note at bar 24 of the *Allemande* of the *Partita* in B minor BWV 1002, and note at bar 80 of the *Courante* of the same *Partita*.

20 The slur in the first beat excludes the *F♯* and reaches the *D* – and it seems to do so in **AM** as well. The second and third beat are harder to read. This edition suggests to adapt them to the model of bars 11 and 12, with the only doubt that the former might actually be different.

32 The semiquaver rest has been added: **AM** too leaves it out. See note at bar 16.

Courante

3 The division of the dotted rhythms is to be intended as if it were in 9/8 time, throughout the *Courante*:

41 A bit of historical trivia: the seventh note is *B♭*, in **AM** too – **D** and **S** write *B♮*, which makes the progression smoother. **J** reads *B♭* in the source, but corrects it to *B♮* in the revision.

49 Both Bach and **AM** mark the chord with a dot – omitted here – as if the movement were thought in 9/8 time. The final notes in the first and second part, however, are correctly marked, to the last quaver dot.

See notes at bars 8 and 32 of the *Double of the Sarabande* of the *Partita* in B minor BWV 1002.

53 The last three notes are missing the slur. It is written in **AM**, and adding it seems all too obvious: if Bach really didn't want it, what was he to do more than *not write* it?

Sarabande

9 One of the cases in which the trill hinders the execution of the bichord. Also see bars 13 and 25, and 21 of the *Largo* of the *Sonata* in C Major.

13 See note at bar 9.

25 *first time.* See note at bar 9.

Gigue

17 The first three notes of the last rhythmic figure are missing a slur.

21 Both **B** and **AM** leave out the slur on the third- and second-to-last notes. Compare with bars 1 and 2. I have chosen to add it in this edition, but omitting it would make sense. **BG** marks a slur that encompasses the last three notes.

38 Here and in **AM** the first three notes of the last rhythmic figure are missing a slur.

Chaconne

1 Mendelssohn writes a *D* on the downbeat for the left hand:

Compare with the beginning of the *Prelude* of the *Partita* in E Major BWV 1006: the rest on the downbeat is present there, both in **B** and in **AM**, and the organ plays it in the concerto transcriptions. See introductory note of the *Partita* in E Major BWV 1006.

10 Observe the duration of the singing line; it is longer, compared to other voices, by virtue of the augmentation dot, meticulously marked until bar 17, even when the active voices are more than one. In general, the length of the overlaying notes is even, and leaves the performer the responsibility of choosing if and how to emphasize one or the other, and construct a singing line. This, on the other hand, seems like a precise indication.

This is one of the passages that led violinists to wonder whether it was necessary to develop a technique – however unusual – that could clear up the perception of polyphony. See paragraph about polyphony in the Notes for the performer.

31 The slur is as in **BG**; in **B** it could be on the model of the dashed slur. **AM** is less accurate and doesn't allay any doubts. The same applies to bar 32.

32 As bar 31, see note.

45 I suggest playing the scale one note per bowing, on the model of bars 41 and 43.

47 As bar 45, see note.

67 **B** includes a dot on the *B♭*, the sixth note, and leaves out slurs in the second beat. **AM** leaves out both.

I suggest to align to the model of the first beat of bars 65, 66, 67, and 69.

89-120 **B** writes the first two quadruplets in full, thus providing a model for the performance of the whole passage – up until bar 120. Although, it is a model thought on three strings, and it does not explain how to apply it to four sounds. The most evident widely accepted solution is overlapping the two lower strings. The following example is written on the first tetrachord of bar 103-104:

Perhaps doubling the higher notes, rather than the lower, would be the best course of action. I have never seen is recommended, and I owe this solution to a pupil of mine, who chose it with ease the first time she played the *Chaconne* during her lesson with me.

The alternative, just as obvious and much easier to perform, is playing the model as triplets:

Bar 117 bears an inevitable fingering problem: the first finger needs to skip from the G string to the E string, as it must play both the *A* on the G string and the *F* on the E string. The violinist Giorgio Fava suggests this might be proof that violinists at the time placed their left thumb on the fingerboard, like guitarists.[1] In this case it could play the low *A*.

Otherwise, a common suggestion is to leave out the thumb altogether and play the bass – very clearly – a single time. If this option is undertaken, it should be repeated in the two tetrachords that follow, so as for the bass line to sound consistent, albeit in absence of the fingering problem:

1. Giorgio Fava, *Il quinto dito perduto. L'uso del pollice nelle antiche diteggiature violinistiche,* "A tutto arco", III/5 (2010), p. 68-75.

The same with triplets:

This being said, one should consider that the ebbing and flowing of trichords and tetrachords is not perfectly consistent with the trajectory of the piece: trichords could be where one might desire a fuller sound; or, conversely, tetrachords where one might wish a more subtle passage; or, yet, one might come by them almost by accident; fragments that are not enough to create a logical connection with the following material.

Whatever the choice, it will affect the aspect of our execution, the richness of our sound texture, the perception of the singing lines, and – if we choose the triplet diminution – the liveliness of our performance.

A suggestion that takes into account all these points – while reconciling them with the narrative needs of a full-blown performance – comes from as far as Ferdinand David's edition. Schumann adopts it as well. This suggestion was clearly originated by his direct experience and had a good success – bowings aside – and minor adjustment well into the twentieth century, up until Carl Flesch's and Hernryk Szering's editions at least. It might be worth to see it written here – if not as a suggestion, as an important document in the history of performance, see Appendix 2.

Observe the double bar lines that emphasize the metric, and notice how **D** reads the second chord with a *d''* instead of *c''*, even in the source. **S** does the same.

I personally suggest to follow **B'**s model for the whole passage: we should endeavour to disguise the differences in articulation between trichords and tetrachords as much as possible. In the case of tetrachords the sounds should be layered regardless of internal articulation: but the overlapping notes allow us to play freely with the chords, ranging from a crisp and clear arpeggio to a prolonged chord, enriching and reducing the transparency of the sound texture according to the musical situation.

I find the solutions described at the beginning of this note to be somewhat mechanical. Conversely, what I like of David's suggestion is the intent to help the listener grasp the structure of the phrases, thanks to the transformation of the applicable models – although I observe that each new phrasing should start on the second beat and not the downbeat; I also admire the attention he puts in providing the violinists with a way of performing that allows them to highlight the movements of the inner voices, which would be impossible otherwise.

One last remark: **B'**s model misses a slur between notes at bars 7 and 8. **AM** adds one. I can't tell whether this inconsistency suggests a division of the bowings like the one that **D** chooses at the beginning; the fact remains that violinists often prefer it, and many revisions suggest it. All examples up to here can be easily combined with those bowings.

201 Neither **B** nor **AM** provide a model here – see bar 89 and relative note. My suggestion is in the footnotes. In **AM** the "arp." indication is placed on the second beat, and I consider only logical it should start there and not on the downbeat – and from there until the end of bar 207, quavers at bar 208 excluded.

214 The dots on the central voices of the chord on the downbeat are missing. See note at bar 10.

Sonata in C Major BWV 1005

Adagio

There is a transcription in G Major for harpsichord of this *Adagio*: it is in the **P 218** manuscript and is catalogued as BWV 968. The manuscript **P 218** is mentioned in the introductory note to the *Sonata* in A minor BWV 1003.

The *Adagio* BWV 968 has one less bar than the violin original: at bar 17 the harmonic path is laid out differently.

A general remark about the bowings that **D** suggests – with a down-bow on the first beat and two up-bows on the second and third, systematically throughout the movement, with a rather trite *down-up-up* scheme. Food for thought. Considering that **D** reviews this music for educational purposes, we are led to believe that the automatism "downbeat – down-bow; upbeat – up-bow" was given for granted at the time, more than we imagine today. Moreover, **D**'s bowings are achievable solely with a certain smoothness which results in an emphasis on the downbeat throughout the movement. Are these musical choices or rather a violin practice which was forcibly applied to the music, without considering whether it might distort it?

9 The fingering suggests an unconventional but effective system – if aptly disguised: it allows us to keep the *b'-a''* seventh, which would be very uncomfortable if played with the second and third finger – insofar as we want to keep it.

I find that establishing a fixed length for the duration of the secondary voices is not a good course of action, even in such a repetitive movement. It's not a question of norm, as much as expression: we should choose case-by-case, overlay by overlay. This seventh is unmissable, in my opinion.

18 This is one of the cases where playing reverse chords is vital to the comprehension of the singing lines: otherwise, the higher voice would sound connected to the semiquaver in the lower voice – which, of course, isn't the case.

39 The division is to be performed as follows:

40 **B** breaks the bar at the third beat, and is therefore forced to write two slurs, the first finishing on the *G*, the second clearly marked as stemming from the previous stave. **AM** copies both slurs diligently, even if she does not need to break the bar. It is clearly a single slur, like in the two following bars.

Fugue

1 This is the aspect I would give the *Fugue* theme, and all its deriving material:

Michelangelo Abbado wrote a very captivating and beautiful revision, in which he notes that Albert Schweitzer reports an organ transcription of this *Fugue*, and observes that the first eight sounds of the subject had been used by Bach in three chorals, the texts of which he had compared. The bowings he suggests are modeled on the prosody of one of them.

Abbado's remarks and his manner of making a choice are apt representatives of the quality of the thoughts invested in this music, in years when historically informed performances were yet to come, in Italy most of all. His suggestion of asserting the sense of legato – as in a chorale – over the articulation is extreme, albeit quite interesting and supported by many a reason.

Also see note 2 of the Notes for the performer.

4 This is the only *Fugue* of the three in this collection with an actual countersubject. It is very noticeable here at bar 4, but harder to highlight elsewhere.

Also see note at bars 154-158.

10 I suggest prolonging the *b''*: losing the first note of the subject would be detrimental. Likewise at bar 205.

13 Observe the length of the *d'* and compare with bar 295: some suggest repeating it in the middle of the measure.

16 The voice in movement is internal: keeping the bow on it a little longer than the others is enough to highlight it. See references to Henryk Szeryng in the Preface and the Notes for the performer.

Furthermore, keeping the *A* in the higher voice – though it is a part of the countersubject – does not seem necessary since as of the following downbeat playing it will no longer be possible, unless we opt for Abbado's suggestion of playing the *Fugue* legato throughout.

See note at bar 1 and note at bar 10.

24 Apropos of reverse chords, this is one of the cases that require a choice, or awareness at the very least. Maybe we could show the subject in the bass by emphasizing it on the downbeat; still, I believe leaving the high *E* hanging in the air would be a significant misinterpretation.

30 As bar 16, see note.

46 *d''* is a crotchet in **B** and in **AM**. Compare with bar 334.

56 In this case I believe reversing the chords would be inappropriate: the line moves in the bass by quarter notes but – given the distance of the strings – remaining on the higher notes would be impossible in any case. See note at bar 24 and note at bars 154-158.

57 I suggest playing the *D* with the fourth finger, leaving the open string to sound while bowing the chord, to confer tonal consistency to the lower line.

60 The slur is like this in **B** and in **AM**. Also see note at bar 348.

112-121 I imagine these dashed slurs somewhat akin to a new register on the organ: a suggestion of expression, rather than an actual bowing indication. Once we embark on this road, more possibilities unfold: playing with the weight of the voices, which can vary in the course of a single bowing. Although how would one express that graphically? It is natural to think, at bar 116, of playing a messa di voce on the *d'*, thus emphasizing the downbeat – and so on throughout the passage.

The same applies to bars 137-152. See paragraph about polyphony in the Notes for the performer.

137-152 See note at bars 112-121.

142 An unconventional but effective fingering, in case fingering the octave with first and third finger were uncomfortable and if the necessity of prolonging the *b♭'* should arise.

154-158 No technique can render the exchange between voices: the middle voice can be heard only when it's moving on its own, so every other note. At bars 154-155 Abbado suggests playing the chords in the usual direction – starting from the lower string – only to go back to the note one wishes to protract, although I have my doubts on the efficiency of this solution; Szeryng suggests doing the same after playing the reverse chords. The same applies to bar 157, according to both.

This might be one of those cases in which the focus is not on making the listener hear the exchange of parts neatly, as much as for that exchange to *be there*, and the performer be aware of it.

See paragraph about the polyphony in the Notes for the performer.

205 As in bar 10, see note.

269 The fourth note is *F♯* in **D** and **S**. Joachim reads the source correctly.

330 The slur in **B** could be read from note 1 to note 4. In **AM** it is clearly as in bar 42.

348 In **B** the slur is from note 2 to note 8. There are two slurs in **AM**: bars 2 to 4 and from note 5 to note 7. Compare with bar 60.

Largo

1 I read the first slur in **B** as it is here, very clearly, and I can't help but notice a dashing difference with, say, the first slur at bar 2 o that of bar 3. Even in this case, **AM** is inaccurate, and not helpful. **BG** marks the slur from note 1 to note 3.

6-7 Compare the slurs with bars 16 and 17.

8 As bar 1, see note.

12 The slur is between *A* and *C*, from note 2 to note 3 – in **AM** as well. **BG** marks it from note 1 to note 2.

16 In **B** and in **AM**, I read the first slur as it is marked here. **BG** marks the slur from note 1 to note 5. Furthermore, comparing the trichord at mid-measure with the bichord in the middle of bar 6 proves to be interesting: in that case, it seems to be a way to avoid the open *E* by means of the writing, with no need of fingering indications.

Allegro assai

21 Placing the fourth finger on the *D* of the second quadruplet might help with clarity, but it would bring the resonance of the open *G* to an untimely end.

33 About the manner of marking accidentals, **B** marks six sharps, one for each *C* in the bar! **B** forgets one, at note 4, and so does **AM**. Also see note at bar 84 of the *Prelude* in E Major.

101 Bach never indicates cautionary accidentals in use today. He does at least once, here, on the natural *E* – third note of the measure – event though the last *E*♭ was a full two bars prior, on a different octave no less.

Partita in E Major BWV 1006

The whole *Partita* also survives in an adaptation in E Major dating back to around 1737, for an unspecified instrument that today is considered to be the lute, while in the past was thought to be the harpsichord, maybe the harp, or a melodic instrument – flute or violin – with Continuo. It is catalogued as **BWV 1006a** and can be found in the autograph Littera rara, vol. 2-14.

Furthermore, the *Prelude* was used twice in adaptations for concert organ, strings and Continuo, as a symphony in the second part of the *Wedding Cantata* BWV 120a, and as opening movement of the *Cantata* BWV 29.

Prelude

13 The ***f*** in **B** is on the third note, and so is the ***p*** at bar 15. Compare with bars 63 and 64, where ***f*** and ***p*** are both on the downbeat. **AM** leaves out the ***p***, but confirms the position of the ***f***, which differs between 13 and 63. In the transcription **BWV 1006a** the dynamics are systematically marked on the first note.

Unifying the two passages seems like the obvious course of action, but to which model?

The *Cantata* symphonies are no help: the alternation between ***f*** and ***p*** – which legitimizes and anticipates the ***f*** at bar 13 – is nowhere to be found, neither in the dynamic indications, nor in the orchestration. In fact, bar 13 of the symphonies is a soft passage, ***p*** per se for the scarcity of the music, with the solo organ left alone.

19 The second-to-last note is *a''*, clearly a mistake. It is *a''* in **AM** too. In the trascription **BWV 1006a** it is *G*♯, as it is here.

41 **B** and **AM** include two further slurs on notes 1-2 and 3-4. They are left out in the transcription **BWV 1006a**, consistently with bars 39 and 40. They have been omitted in this edition.

44 Within the brackets is a fingering that allows extension, to be used at bar 46.

54 This is how it appears in **B**, in **AM** and in the transcription **BWV 1006a**; while in the symphonies of the *Cantatas* it is modeled on the previous bar.

63 The ***f*** is in this position in **B** and **AM**. Compare with 13 and 15, and see note at bar 13.

84 Mistakenly, *E*, the eighth note, has a natural sign next to it in **B** and **AM**, whereas according to their own customs it should be next to the seventh note, *D*. The bar contains another mistake that **AM** replicates: note 3 is missing a natural. All this has been rectified with modern notation rules. To make a comparison with an adjacent measure, **B** scrupulously marks the natural to all the *D*s in bar 80 – notes 2, 4, 8 and 12 – and so does **AM**. I believe this implies that **AM**'s was a mechanical process of copying, with no actual analysis of the material.

In the transcription **BWV 1006a** all is quite as it should be.

Also see notes at bars 33 and 101 of the *Allegro assai* of the *Sonata* in C Major.

128 The eighth note is *A* in **B**, in **AM**, in the transcription **BWV 1006a**, and in the organ versions as well. **D** and **S** write *G*♯; **D** "reads" *G*♯ in his reading of Bach's autograph.

Gavotte en Rondeaux

It is titled *Rondeaux* in the transcription **BWV 1006a** too. It is "Rondeau" in **AM**.

8 A little consideration that I signal for the sake of completeness. **B** does not write the movement in full: we find a "Da Capo" in the middle of bar 92 that refers us back to the beginning.

Usually, the ending of a movement is indicated with two fermatas on the last measure – one above and one below the stave, and more rarely with a fermata on the last note: the latter is the case of the *Adagio* in G minor and the *Fugue* in C Major.

This time we find no fermata: the same happens in the ending of the *Siciliana*, of the *Grave* and of the *Andante* in A minor, and of the *Adagio* in C Major.

Here at bar 8 – keep in mind that in **B** it is both a bar of transition and the ending of the movement – there is a fermata on the *E-E* octave; in the middle of bar 92 the "Da Capo" indication appears and the fermata at the end of the measure. This latter indication is left out both in **AM** and in **P 267**.

This edition writes the movement in full, like all modern editions, and the fermatas are both marked: one at bar 8 and the other at the end of the movement. As a rule, the first one disappears. Only Szeryng's edition marks them both, to my knowledge, but both at bar 100.

A doubt about bar 8 remains: should one observe the fermata or not, are those eight bars to be repeated even at the end of the movement or not? In the transcription **BWV 1006a** the indication given at bar 92 is "Da Capo a Fine".

BG never marks fermatas at the end of movements, except those at the end of the whole *Sonata* or *Partita* and in the two cases I mentioned in which they are marked on the note; he doesn't even mark the fermata on the octave we mentioned above.

10-11 A few doubts about the second slur at bar 10 and about the first at bar 11. They could span from note 2 to note 3 of the respective quadruplets – the second possibly with more evidence than the first.

D's diplomatic version reads them both as encompassing the whole quadruplet, notes 1 to 4, and so does **BG**. Conversely, in his performance suggestion **D** indicates them as they can be found here above the stave, and **J** reads them like that in the source as well, although he suggests to perform them otherwise.

In the transcription **BWV 1006a** the slurs are on the two central notes of the quadruplet, and so is the the only slur marked on the second quadruplet of bar 12.

34 The fingerings in italics are the only original ones in **B**; the appear in **AM** too.

*Menuet 1er – Menuet 2de*

In **AM** they are named "Menuett 1" e "Menuett 2". In the transcription **BWV 1006a** they are "Menuetti" and "Menuet 2de".

*Menuet 1er*

12 The slur excludes the appoggiatura, both in **B** and in **AM**; it is added here.

28 There is no slur in **B**; there is in **AM** and in **P 267**.

Bourée

21 The slur in **B** e **AM** encompasses six notes. Here I suggest to conform it to bar 23, and 22 and 24, that are consistent with bar 5 and similar.

25 There is no ***f***, neither here nor in **AM**. There is in **P 267**. It was added here, compare with bar 9.

Gigue

17 The slur is absent in **B**, in **AM** and in **P 267** as well. **BG** leaves it out too. Compare with bar 1 and also see note at bar 21 of the *Gigue* of the *Partita* in D minor BWV 1004.

APPENDICE | *APPENDIX* 1

APPENDICE | *APPENDIX* 2

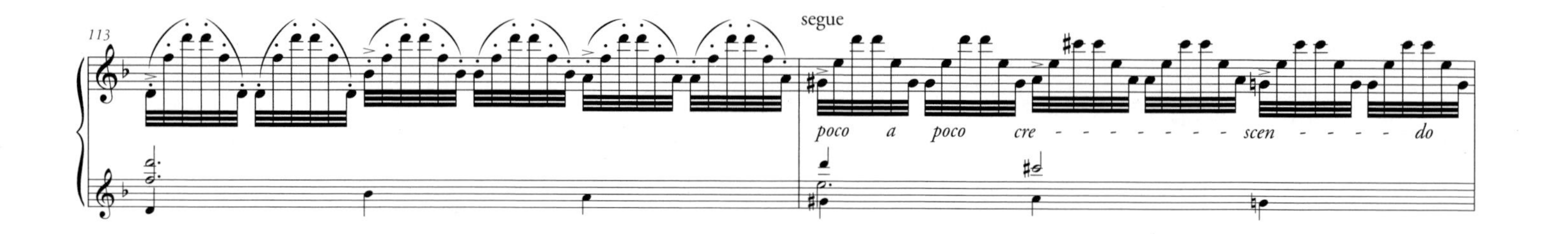
segue
poco a poco cre - - - - - - - - scen - - - - do